SANTIDADE

SANTIDADE

—

ED RENÉ KIVITZ

Copyright © 2020 por Ed René Kivitz
Publicado por Editora Mundo Cristão

Os textos das referências bíblicas foram extraídos da *Nova Versão Transformadora* (NVT), da Editora Mundo Cristão (usado com permissão da Tyndale House Publishers, Inc.), salvo as seguintes indicações: *Almeida Revista e Atualizada*, 2ª ed. (RA), da Sociedade Bíblica do Brasil; *Nova Versão Internacional* (NVI), da Bíblica Internacional; *A Mensagem*, da Editora Vida.

Todos os direitos reservados e protegidos pela Lei 9.610, de 19/02/1998.

É expressamente proibida a reprodução total ou parcial deste livro, por quaisquer meios (eletrônicos, mecânicos, fotográficos, gravação e outros), sem prévia autorização, por escrito, da editora.

Preparação
Daniel Faria

Revisão
Natália Custódio

Produção e diagramação
Felipe Marques

Colaboração
Ana Luiza Ferreira

Capa
Thiago Leon Marti

CIP-Brasil. Catalogação na publicação
Sindicato Nacional dos Editores de Livros, RJ

K68s

    Kivitz, Ed René
      Santidade / Ed René Kivitz. - 1. ed. - São Paulo : Mundo Cristão, 2020.

    ISBN 978-85-433-0527-1

    1. Cristianismo. 2. Vida cristã. 3. Conduta. I. Título.

20-62999

                CDD: 248.4
                CDU: 27-584

Publicado no Brasil com todos os direitos reservados por:

Editora Mundo Cristão
Rua Antônio Carlos Tacconi, 69
São Paulo, SP, Brasil
CEP 04810-020
Telefone: (11) 2127-4147
www.mundocristao.com.br

Categoria: Espiritualidade
1ª edição: abril de 2020

SUMÁRIO

Introdução	9
1. Outramento	15
2. Perfeição	26
3. Alumbramento	36
4. Atrevimento	51
5. Constrangimento	61
6. Trivialidade	71
7. Quebrantamento	81
8. Adoração	92
9. Prazer	101
10. Identidade	110
11. Unidade	122
12. Justiça	133
13. Santidade	145
Sobre o autor	157

Abrir a Bíblia e abrir a boca são os atos que melhor descrevem minha vocação. Nos últimos trinta anos tenho feito isso dominicalmente no púlpito da Igreja Batista de Água Branca, a IBAB, onde sirvo como pastor. O domingo, entretanto, não acontece no vazio, não é um fim em si mesmo, isolado do dia a dia da rede de relacionamentos e interações da comunidade. A pastoralidade acontece de fato na trama cotidiana, no meio das gentes, nas muitas conversas, na sagrada escuta das confissões, na celebração das alegrias e na solidariedade das lágrimas de um sem-número de pessoas, cada uma delas com um rosto, um nome, uma identidade singular, um coração em cujo chão se deve andar com reverência e amor.

Santidade foi primeiro uma série de mensagens dominicais que preguei na IBAB, em 2018. Minha gratidão, portanto, às tantas vozes e histórias e partilhas que não apenas forneceram subsídios para o conteúdo dessas meditações pastorais, como também criaram o ambiente onde foi imperativo buscar o discernimento a respeito do significado de viver segundo a vontade de Deus em dias e contextos conturbados como os de hoje. Gratidão aos amigos e pastores que repartem comigo o cuidado do rebanho da IBAB: sua dedicação e amor por Jesus e pela igreja de Jesus me inspiram, e sua contribuição para as reflexões sempre me enriquece. Gratidão a Debora Otoni, cuja iniciativa e trabalho diligente, tanto no cuidado das transcrições quanto na preparação inicial do texto, tornaram possível sua publicação. Gratidão à Mundo Cristão, não apenas por mais este trabalho de excelência, mas principalmente pelas quase duas décadas de relacionamento, incentivo e apoio para meu desenvolvimento e produção literária.

A Deus, toda a glória!

INTRODUÇÃO

Um cristão que completa a frase "Deus é" certamente usa a palavra "amor": Deus é amor. Mas se você pedisse a um profeta de Israel que completasse a mesma frase, com toda certeza ele usaria a palavra "santo": Deus é Santo. Mais precisamente, ele diria: Deus é Santo, Santo, Santo.

Ao contrário da língua portuguesa, o hebraico não possui adjetivos superlativos. Para expressar a ideia de algo lindíssimo, por exemplo, a língua hebraica lança mão da repetição "lindo, lindo". A Bíblia traz expressões como "vaidade de vaidades" (Ec 1.2, RA) e "em verdade, em verdade" (Jo 5.24-25, RA) quando o texto deseja conferir ênfase. Por essa razão se usa "Santo, Santo, Santo" para expressar a absoluta santidade de Deus, o Santíssimo.

O atributo essencial do Deus de Israel é a santidade. O profeta Isaías se refere a Deus como "o Santo de Israel" (Is 17.7; 41.14; 47.4). Na Torá, lemos que Deus recomenda ao seu povo: "Sejam santos, pois eu, o Senhor, seu Deus, sou santo" (Lv 19.2).

A santidade de Deus como imperativo para a santidade de todos os que se relacionam com ele também é presente na tradição cristã. O Novo Testamento, por meio do apóstolo Pedro, cita a exigência da Lei de Moisés: "Agora, porém, sejam santos em tudo que fizerem, como é santo aquele que os chamou. Pois as Escrituras dizem. 'Sejam santos, porque eu sou santo'" (1Pe 1.15-16).

Em suas epístolas, Paulo se refere aos cristãos como "povo santo" (Rm 1.7; 1Co 1.1-2; Fp 1.1; Fm 1.5). O apóstolo também afirma categoricamente que a vontade de Deus para os seus filhos é que "vivam em santidade" (1Ts 4.3).

O autor da carta aos Hebreus é ainda mais radical, chegando a dizer que sem santidade, sem santificação, "ninguém verá o Senhor" (Hb 12.14), o que torna a santidade uma condição imprescindível para nossa experiência de Deus e com Deus.

Como se descreve, portanto, uma vida santa?

O que é viver em santidade?

O que é ser santo, santa?

Fiz uma pesquisa em minhas mídias sociais para identificar o que as pessoas pensam e acreditam sobre santidade. Pedi-lhes que respondessem a duas perguntas: 1) O que você entende por santidade?, e 2) O que você pensa quando ouve a palavra santo ou santa?

Recebi centenas de respostas e li cuidadosamente todas elas. Consegui identificar pelo menos quatro conceitos que resumem o senso comum a respeito de santidade. Muitas respostas poderiam ser agrupadas a partir da noção de santidade como estado de pureza associada à perfeição moral. Para a grande maioria das pessoas, ser santo ou santa é ser sem pecado. A santidade seria um estado de perfectibilidade moral, ou seja, santo, disseram, é aquele que não possui pecado, o que equivale a ser moralmente perfeito. Para essas pessoas, o pecado se define como falha moral. Viver em santidade seria equivalente a obedecer aos mandamentos bíblicos, como os que constam do Decálogo: não matarás, não roubarás, não adulterarás, não dirás falso testemunho, não cobiçarás, e outros mais, tanto em dimensão positiva quanto restritiva. Em síntese, não fazer o que é errado e não deixar de fazer o que é certo. A santidade também é percebida como um processo rumo à perfeição. A santificação seria, portanto, o caminho, a progressão para uma vida sem pecado e de completa submissão à vontade moral de Deus, que resultaria em um comportamento sem falhas morais. Assim se interpreta, por exemplo, o provérbio de Salomão: "a vereda dos justos é como a luz da aurora, que vai brilhando mais e mais até ser dia perfeito" (Pv 4.18, RA). A pessoa santa seria, então, aquela que vai se aperfeiçoando ou sendo aperfeiçoada num processo contínuo rumo à perfeição.

Essas duas compreensões da santidade — estado de pureza, definido como perfectibilidade moral, e progressão à perfeição — implicam e explicam uma terceira ideia. Muitas pessoas responderam que, ao ouvirem a palavra santo ou santa, o que lhes vem à mente é que santidade se trata de algo inatingível, um estado inalcançável. Sabemos que ninguém é sem pecado e que não existem pessoas perfeitas. A própria Bíblia chama de mentiroso aquele que se diz sem pecado (1Jo 1.8), e por essa razão a ideia de santidade remete a uma possibilidade muito remota ou praticamente impossível de ser vivenciada por pessoas comuns.

Isso nos conduz também a uma quarta noção de santidade, bem presente na cultura religiosa brasileira. Muita gente pensa em santidade como uma condição de excepcionalidade, isto é, santas são aquelas pessoas extraordinárias e por isso mesmo muito raras. Alguns chegaram a dizer:

"Santo mesmo, só Jesus". Alguém mencionou: "Santa, só a minha avó!". Evocar a vovó como exemplo de vida santa me levou a considerar a crença de que santidade segundo o entendimento bíblico não é aplicável ao mundo como o nosso, e por isso apenas pessoas que se encontram fora do jogo, que já superaram as demandas da luta pela sobrevivência e se retiraram dos ambientes de tentação é que conseguem viver nesse estado de pureza e perfeição moral. É evidente que essas pessoas têm uma noção equivocada da velhice e dos velhinhos.

As quatro percepções a respeito do que é ser santo ou santa sugerem que essa qualidade de vida é uma experiência remota, que a santidade mora em um lugar muito distante e os santos e santas habitam uma terra que fica lá longe. O senso comum participa da intuição de que são verdadeiras não apenas a noção de que ninguém é santo, como também e mais ainda a de que não é possível ser santo.

Convivemos com a paradoxal ideia de que a santidade em nossa tradição cristã é ao mesmo tempo um imperativo inegociável para a experiência espiritual e uma impossibilidade, ou pelo menos uma condição que somente algumas poucas pessoas são capazes de alcançar. A Bíblia Sagrada, entretanto, fala da santidade como o fluir natural da experiência com o Deus que se revelou na tradição de Israel. Mais de oitocentas vezes, na lei de Moisés, nos livros poéticos e de sabedoria, e nos profetas, o termo *qadosh* e seus derivados — *qodesh* e *qadesh* — aparecem adjetivando o modo de viver das pessoas que se relacionam com o Santo, Santo, Santo. A santidade é, assim, a experiência natural de quem se relaciona com Deus. Ser com Deus significa ser santo. A igreja é descrita na Bíblia como "nação santa" (1Pe 2.9-10).

A distância entre a nossa percepção de santificação como um caminho para poucos e a afirmação bíblica de que todos os cristãos são santos leva inevitavelmente a alguns questionamentos: entendemos realmente o que é santidade? Será mesmo que santidade é sinônimo de perfeição moral? Ser santo é ser sem pecado? O oposto de santidade é imoralidade? Pecado é apenas uma questão de comportamento moral? A moralidade é o critério último da santidade?

A experiência espiritual banalizada no ambiente religioso fez a vivência da santidade escorrer entre nossos dedos. Não sabemos mais o que é santidade. Perdidos em um amontoado de clichês religiosos, acomodamo-nos no pensamento de que santidade é algo irreal, incomum ou inatingível. Porque passamos a acreditar numa santidade possível apenas para pessoas extraordinárias, deixamos de almejar a vida santa, resignamo-nos à mediocridade espiritual e acabamos por desenvolver estilos de vida em que já não se faz muita distinção entre quem crê em Deus e quem anda longe dele.

Todas essas inquietações, aliadas à complexidade de definições, intuições e crenças equivocadas a respeito da santidade, despertaram meu interesse em construir um repertório, uma colagem de imagens, uma coleção de experiências capazes de me inspirar a uma vida santa. Resolvi colecionar testemunhos e histórias de homens e mulheres reais cuja peregrinação espiritual deixou um rastro de santidade e iluminou trilhas para todos os que anseiam a intimidade com Deus.

Tenho certeza de que ao percorrer estas páginas seu coração será cheio de novos discernimentos do real sentido da santidade, da santificação e da vida santa. Estou absolutamente convencido de que você não apenas passará a acreditar que é possível como também, e principalmente, desejará viver em santidade.

1

OUTRAMENTO

Portanto, reconheçam este fato e guardem-no firmemente na memória: O Senhor é Deus nos céus e na terra, e não há outro além dele.

Deuteronômio 4.39

Os conceitos mais elementares presentes em comentários bíblicos, manuais de teologia e catecismos religiosos sobre as expressões referentes a santidade são "pureza" e "separação". O que é santo é também puro. E por isso mesmo é separado. Essas duas ideias são sempre intercambiáveis e indissociáveis: o que é separado para Deus precisa ser preservado puro. E tudo o que é puro precisa ser separado para que não seja contaminado pelo uso comum.

Mas as palavras da Torá sugerem também outras direções e dimensões de santidade. Moisés diz ao povo de Israel: "Portanto, reconheçam este fato e guardem-no firmemente na memória: O Senhor é Deus nos céus e na terra, e não há outro além dele" (Dt 4.39). Em outras palavras, o que ele está dizendo é: "Coloquem isto na cabeça de uma vez por todas: o nosso Deus é único, singular, não há outro!". Mais do que isso, Moisés está dizendo que Deus é outro em relação a todas as noções de deus e deuses acumuladas até aquele instante. Lendo essa declaração de maneira espelhada, compreendemos que, justamente porque não há outro, o Deus que se revela a Israel é o grande Outro.

A Torá sugere a santidade como experiência de "outramento". Deus é único, não há outro, mas ele é também distinto, diferente de nós, e de tudo o que há e de tudo o que é. A experiência fundante da santidade é a tomada de consciência de que diante de Deus estamos face a face com aquele que é "Totalmente Outro", expressão usada por Karl Barth, o maior teólogo protestante do século 20. A afirmação de que Deus é santo, puro e separado implica dizer que ele é Outro. A palavra para descrever essa distinção de Deus é singularidade. Não há nada nem ninguém que se compare a ele.

Moisés se refere a Deus com a pergunta retórica a respeito de sua singularidade: "Quem entre os deuses é semelhante a ti, ó Senhor, glorioso em santidade, temível em esplendor, autor de grandes maravilhas?" (Êx 15.11). Ninguém se compara a Deus, ninguém é semelhante a Deus. Ele é outro, absolutamente outro em relação a tudo e todos. Enquanto todos os deuses permanecem de um lado, Deus encontra-se do outro, sozinho, isolado, único, singular. Ele não é o maior ou o melhor entre os deuses. Ele é o único Deus. Somente ele é Deus. Todos os demais pretensos deuses são ilusão, são nada de nada. Em linguagem bíblica, são falsos deuses, são ídolos. O Deus de Israel não pode ser relacionado entre os deuses não porque é melhor, o maior, o mais poderoso entre todos, mas porque nada nem ninguém se compara a ele.

A exemplo de Moisés, Ana, mãe do profeta Samuel, experimenta a santidade, a singularidade de Deus ao se derramar em oração e dizer: "Ninguém é santo como o Senhor; não há outro além de ti, não há Rocha como o nosso Deus!" (1Sm 2.2). O monoteísmo revelado na tradição de Moisés e professado por Ana implica afirmar que existe somente um Deus. Ser monoteísta não significa apenas que se deve adorar um único deus, mas que na verdade se deve reconhecer que apenas um Deus é. Na tradição judaico-cristã, monoteísta não é quem escolhe um entre muitos deuses, mas quem admite a realidade de apenas um deus, isto é, o Deus que se revela a Moisés na história de Israel e cabalmente em Jesus Cristo. Esse é o sentido da singularidade do Deus de Israel: ele é único. Não há o que se compare a ele. O Deus bíblico é Outro em relação a tudo e todos.

A singularidade do Deus que se revela na tradição de Israel implica a exclusividade na relação com ele. Sendo esse Deus único, não podemos nos entregar a qualquer outra realidade com pretensões ou aparência de divindade. O pecado maior de Israel sempre foi a idolatria: confundir deuses com Deus, confundir Deus com deuses, confiar em deuses deixando de confiar em Deus, tratar Deus nas mesmas categorias dos deuses, abandonar Deus para adorar deuses.

Assim cantou o salmista:

> Não a nós, Senhor, não a nós,
>   mas ao teu nome seja toda a glória,
>   por teu amor e por tua fidelidade.
> Por que as nações dizem:
>   "Onde está o Deus deles?".
> Nosso Deus está nos céus
>   e faz tudo como deseja.

Seus ídolos não passam de objetos de prata e ouro,
formados por mãos humanas.
Têm boca, mas não falam;
olhos, mas não veem.
Têm ouvidos, mas não ouvem;
nariz, mas não respiram.
Têm mãos, mas não apalpam;
pés, mas não andam;
garganta, mas não emitem som.
Aqueles que fazem ídolos e neles confiam
são exatamente iguais a eles.
Ó Israel, confie no SENHOR;
ele é seu auxílio e seu escudo!

Salmos 115.1-9

A singularidade de Deus implica também perplexidade. Diante do Deus incomparável nos quedamos perplexos. Nada do que você possa pensar ou imaginar se compara a Deus. Qualquer imagem que construa, qualquer ideia que tenha a respeito de Deus, é insuficiente para descrevê-lo, defini-lo ou explicá-lo.

A primeira coisa que podemos saber a respeito de Deus, portanto, é que ele transcende absolutamente tudo o que sabemos. A Bíblia declara que "ninguém jamais viu a Deus" (1Jo 4.12), pois Deus "habita em luz tão resplandecente que nenhum ser humano pode se aproximar dele" (1Tm 6.16). Deus está além dos olhos, o que significa além do nosso alcance de contemplação e imaginação, ou mesmo "imagificação".

Deus é Outro. Nesse sentido, a santidade é uma experiência de outramento. Não há nada que se compare a Deus. Diante dele estamos em estranhamento e por isso mesmo ele não pode ser capturado nem domesticado por nós. Deus não pode ser dissecado ou explicado. Deus é da ordem do susto, do encantamento, do alumbramento. Deus é da ordem do perder o fôlego, do arrebatamento, do ficar sem palavras.

Ao final de um sermão dominical, uma jovem senhora se aproximou de mim e disse: "Pastor, eu queria entender isso aí que o senhor está falando". Minha resposta foi: "Pois é, não é de entender". Santo Agostinho diria que, se nós entendemos, é porque não é Deus. Se você entendeu não é Deus, porque Deus não cabe na sua cabeça.

A experiência de outramento perante Deus nos coloca diante de uma realidade que não é possível descrever em palavras. Paulo, o apóstolo, diz que foi "arrebatado ao terceiro céu" e que "ouviu coisas tão maravilhosas que não podem ser expressas em palavras, coisas que a nenhum homem é permitido falar" (2Co 12.2-7). O inexpressável, o indizível é aquilo a respeito do que é proibido falar, mas também aquilo a respeito do que não é possível falar. Quando Moisés perguntou o nome de Deus, ele respondeu: "Eu Sou o que Sou", isto é, "Eu sou inominável" (Êx 3.13-15). Muitos eruditos interpretam que inominável significa um nome impronunciável. Mas na verdade nomear é identificar, definir, delimitar, enquadrar em limites. Por causa disso, em relação a Deus, inominável significa "além de qualquer definição". Não é que seu nome seja impronunciável. Ele não tem nome, pois o nome define. Deus é inominável.

Perdemos o alumbramento e o encantamento diante de Deus porque o domesticamos. Confinamos Deus em nossas doutrinas e experiências estereotipadas. Fixamos sua caricatura citando meia dúzia de versículos bíblicos e o reduzimos a um ídolo previsível e manipulável. Mas Deus está além de qualquer representação de palavras e pensamentos.

Imagino que você esteja se perguntando: "E a imagem e semelhança de Deus? Não seríamos nós uma representação de Deus?". Somos uma representação de Deus, mas não sua expressão. A imagem de uma coisa não é a coisa. Qualquer coisa que se pense ou se imagine sobre Deus é só uma imagem do que ele realmente é. Nós, seres humanos, somos apenas a imagem de Deus. Semelhança não quer dizer igualdade. Somente na eternidade conseguiremos conhecer, apreender e saber Deus totalmente, pois somente então "o veremos como ele realmente é", disse o apóstolo João (1Jo 3.2).

E Jesus? Ele não revelou o Pai? O apóstolo Paulo não afirmou que Jesus é "a imagem do Deus invisível" (Cl 1.15)? Na carta aos hebreus não se diz que Jesus "expressa de forma exata o que Deus é" (Hb 1.3)? Mais uma vez, sim e não.

A revelação de que em Jesus habita "toda a plenitude da divindade" (Cl 2.9, RA) significa que Jesus é plenamente Deus. Mas não quer dizer que Jesus nos revela a plenitude de Deus. A revelação de Deus em Jesus não nos permite dizer "Ah! agora conheço Deus perfeita e completamente! Agora conheço tudo a respeito de Deus".

O Novo Testamento nos informa que Jesus nos revelou o Pai (Jo 14.7-11) e o fez mediante sua vida e presença em nosso meio, e não por um discurso revelador de uma definição do tipo "Deus é isso e aquilo". Relembremos que Deus habita em luz inacessível, como nos ensinou o apóstolo Paulo. O que acontece quando olhamos diretamente para a luz? Ficamos cegos. A luz nos cega. Deus habita nosso ponto cego. Antes de nos apercebermos da identidade de Deus, considerando a capacidade de nossa apreensão, somos levados ao esquecimento de tudo quanto Deus nos parecia ser. A narrativa bíblica nos informa que todas as pessoas a quem Deus se revela são invadidas por um assombro, algo próximo do pânico, que depois se transforma em temor. Essa experiência é impossível diante de uma caricatura de Deus. Quando Deus é apenas uma projeção de nossas carências e vontades, e da mente e do entendimento, o máximo que experimentamos é uma emoção boa, que logo se dissipa sem deixar marcas.

Um deus dentro dos limites de nossa compreensão não é o Deus da Bíblia. Um deus que podemos controlar é um ídolo. Um deus que se encaixa em nossas definições fica reduzido aos parâmetros plausíveis e possíveis de nossa razoabilidade, e justamente por isso passa a ser apenas uma imagem perfeita de nós mesmos, um super-humano. Mas Deus não é o humano elevado à máxima potência. Deus é outro — Outro! Está além do intelecto, pois ultrapassa o humano. A razão humana é insuficiente para referir a Deus. Assim como o mar não cabe na concha, também o ser finito não pode ser o parâmetro de definição do Deus Eterno. Quem se acomoda a uma definição de Deus acaba se relacionando com o próprio ego, e não existe ídolo pior do que um ego que acredita ser Deus.

A santidade é a experiência de estar diante de Deus em sua singularidade. A singularidade de Deus fala também de sua exclusividade. Ele não apenas é único porque lhe falta quem a ele se compare, mas também e principalmente porque além dele nada há e nada é. Deus não é algo diferente de tudo o que existe, como se existissem muitas coisas e Deus fosse uma dessas coisas. Ele é diferente de todas as outras, sem termos de comparação. A afirmação de que Deus é absolutamente Outro, singular, quer dizer também e principalmente, e literalmente, que Deus é a única realidade.

O filósofo franco-judeu Emmanuel Levinás diria que "fora de Deus não há nada outro". Em outras palavras, fora de Deus o que existe é o nada. Deus é a única realidade. Por isso na língua hebraica somente Deus pode pronunciar "Eu Sou".

Deus "chama à existência coisas que não existem, como se existissem" (Rm 4.17, NVI). Nós somos essas "coisas que não existem". Temos um parentesco com o nada. A única resposta, portanto, que podemos dar a Deus quando chamados à sua presença é aquela mesma de Abraão: "Aqui estou!" (Gn 22.1,11).

Diante de Deus não afirmamos nosso "eu", mas nossa disponibilidade: "Aqui estou". Ou seja, diante do Deus Absolutamente Outro não existe um "eu" que se pronuncia. Deus e somente Deus é o Eu Sou, e qualquer pessoa que se achega a ele se sustenta apenas na dependência de seu favor. Deus é o Eu que convoca. Fora dele não existe qualquer outra coisa. Então isso que chamo de "eu" não é. Não posso dizer a respeito de mim mesmo que "eu sou", uma vez que estar em Deus, o único que é, é a condição de sustentação do meu ser-existência. Sou apenas enquanto estou nele. Como bem disse o apóstolo Paulo em seu debate com os filósofos gregos de seu tempo, somente em Deus "vivemos, nos movemos e existimos" (At 17.28).

Diante de Deus estamos completamente disponíveis. Ao atender a seu chamado, saindo do nada para o ser, nós nos submetemos em total rendição. Nossa atitude diante de Deus deve ser sempre aquela de Maria após receber o recado do anjo: "Sou serva do Senhor. Que aconteça comigo tudo que foi dito a meu respeito" (Lc 1.38).

A experiência da santidade muda nosso vocabulário porque muda não apenas a nossa percepção de quem Deus é, mas a percepção que temos de nós mesmos. Quando conheço o Outro, já não digo: "Quero isso, quero aquilo", "Por que isso, por que aquilo". O coração santo diz: "Aqui estou".

Quando nos apresentamos diante do Deus Santo, Santo, Santo não somos protagonistas da conversa, mas apenas nos prostramos e dizemos: "Aqui estou", e o fazemos na perspectiva de que poderemos ser surpreendidos, pois o Senhor é Outro. Por ser completamente diferente de tudo o que podemos imaginar e compreender, as palavras e os caminhos do Senhor habitam o mundo do inusitado. Assim disse o apóstolo Paulo:

> Como são grandes as riquezas, a sabedoria e o conhecimento de Deus! É impossível entendermos suas decisões e seus caminhos! Pois quem conhece os pensamentos do Senhor? Quem sabe o suficiente para aconselhá-lo?
>
> Romanos 11.33-34

O jogo religioso sugere um Deus condicionado a nossos anseios e desejos. Vende um Deus que faz nossas vontades, atende a nossos desejos e satisfaz nossos caprichos. Em vez de submeter Deus às nossas vontades deveríamos nos ajoelhar e dizer: "Seja feita a tua vontade, não a minha".

Quando Jesus apareceu dizendo coisas como "O Pai e eu somos um" (Jo 10.30) e "Quem me vê, vê o Pai" (Jo 14.9), começaram as conspirações para que ele fosse calado, eliminado, assassinado. Hoje discutimos se Jesus era igual a Deus, ou era Deus. Naquela época o debate era diferente. As pessoas discutiam se Deus poderia ser igual a Jesus. E concluíram que não. Jesus era bem diferente daquilo que imaginavam a respeito de Deus. E para calar sua voz, eliminar sua influência, apagar sua luz, eles o rejeitaram, o condenaram por blasfêmia e o assassinaram. Ainda hoje fazemos assim. Porque Deus não se encaixa em nossas representações mentais, em nossos afetos subjetivos, em nossas lógicas morais e confissões doutrinárias, nós o matamos.

A santidade exige submissão à revelação surpreendente que Deus faz de si mesmo. Pedro, apóstolo, é um guia indispensável para nos conduzir nos caminhos da experiência de outramento diante de Deus. Depois de uma noite de trabalho sem resultados, Jesus lhe diz que jogue a rede novamente ao mar. Recolhem tantos peixes que a rede chega a se romper. Diante daquela pesca maravilhosa, Pedro, ainda no barco, se atira aos pés de Jesus e grita: "Por favor, Senhor, afaste-se de mim, porque sou homem pecador" (Lc 51.11). Sua reação diante desse Outro que se manifesta é a mesma do profeta Isaías, que ao contemplar a santidade de Deus no templo cheio de glória exclama: "Estou perdido!" (Is 6.5).

Imagine Pedro naquele barco, com Jesus sentado ao seu lado ensinando a multidão que se aglomera e se acotovela na disputa por lugar. As palavras de Jesus invadem a consciência de Pedro, e alguma coisa vai se construindo dentro dele, dentro de sua alma e de seu entendimento. O coração de Pedro se constrange, suas ideias entram em movimento frenético. À medida que as palavras de Jesus seguem iluminando sua consciência, é como se o próprio Jesus entrasse em sua interioridade. A presença de Jesus ganha densidade, a santidade do Deus encarnado vai tornando o ar cada vez mais pesado, e enquanto Pedro é cativado por Jesus sua respiração fica cada vez mais ofegante. Até que a presença de Jesus se torna absolutamente irresistível e Pedro cai a seus pés, ajoelhado, gritando: "Afaste-se de mim". Isso é outramento.

O mundo de Pedro entra em colapso. É como se ele dissesse: "Você que é Outro aqui no meu barco virou minha vida de ponta-cabeça". E é como se Jesus respondesse: "De fato, Pedro, eu sou Outro. De outra dimensão. Sou completamente diferente do que você imaginava, do que você pensava ou esperava. Eu sou Outro, sim, mas estou aqui no seu barco, no seu mundo, com você. Estou aqui entre suas redes, tratando da sua fome, do seu trabalho frustrado, animando você depois de uma noite inteira de esforço inútil. Eu sou Outro, mas vim ao seu encontro. Existe uma distância abissal entre nós dois, mas eu dei um passo na sua direção e estou acessível a você. Eu rompi a barreira de separação entre nós. Eu me fiz carne e estou aqui com você. E vou me misturar com você. Vou chorar o que você chora, vou viver o que você vive, vou me entranhar em você. Vou viver em você".

2
PERFEIÇÃO

Vocês ouviram o que foi dito: "Ame o seu próximo" e odeie o seu inimigo. Eu, porém, lhes digo: amem os seus inimigos e orem por quem os persegue. Desse modo, vocês agirão como verdadeiros filhos de seu Pai, que está no céu. Pois ele dá a luz do sol tanto a maus como a bons e faz chover tanto sobre justos como injustos. Se amarem apenas aqueles que os amam, que recompensa receberão? Até os cobradores de impostos fazem o mesmo. Se cumprimentarem apenas seus amigos, que estarão fazendo de mais? Até os gentios fazem isso. Portanto, sejam perfeitos, como perfeito é seu Pai celestial.

Mateus 5.43-48

Ninguém merece nota dez. Ninguém é perfeito. A perfeição não existe. Somente no céu seremos perfeitos. Essas e outras expressões nos distanciam da expectativa de Jesus, que diz que devemos ser perfeitos, como é perfeito nosso Pai celestial. Isso mesmo, Jesus quer que sejamos perfeitos, e não apenas isso, quer que sejamos perfeitos no padrão divino. A régua é alta. Nada menos que Deus, o próprio Deus.

A perfeição é um conceito caro na história da filosofia e da teologia, e carece de cuidados para que as distorções possíveis na compreensão não nos afastem ainda mais da santidade. O maior desafio é trocar as lentes através das quais enxergamos a perfeição. Tirar as lentes gregas e colocar as lentes judaicas. A lógica da filosofia grega e da cultura hebraica são muito diferentes. E precisamos ter cuidado ao interpretar as Escrituras. Na filosofia grega, a perfeição está relacionada a uma realidade imutável. O perfeito é o que não muda. Porque, se muda para melhor, não era perfeito. E, se muda para pior, deixa de ser perfeito. Aquilo que é perfeito é o mesmo, sem mudança ou variação. Perfeito é aquilo que sempre foi do jeito que é, e assim permanecerá. O conceito grego de perfeição é estático, inflexível, imutável. De certa maneira, faz sentido, pois aquilo que é perfeito não muda, exatamente porque não precisa mudar, não precisa ser transformado pois nada há que precise ser corrigido. O perfeito é sem falha, sem defeito, sem mácula. Na teoria de Platão a realidade perfeita existe no mundo ideal. No mundo real não existe perfeição.

Essa visão de perfectibilidade nos arremessa na angústia de viver a constante tensão entre o real e o ideal. Vivemos sempre comparando a realidade com a idealização. E, no fim das contas, estamos sempre aquém do ideal. O problema dessa ideia é que a perfeição como ideal não alcançável também nos faz considerar a santidade uma experiência impossível. Se ser santo é ser perfeito, sem defeito, então de fato ninguém é santo.

Mas a Bíblia nos conta que Deus não espera de nós outra coisa senão a perfeição. "Anda em minha presença e sê perfeito", diz o Senhor a Abraão (Gn 17.1, RA). Em sua carta a Timóteo, o apóstolo Paulo diz que todo ensino, instrução, conselho, exortação, encorajamento e advertência são para que todas as pessoas se tornem perfeitas em

Cristo Jesus (2Tm 3.16-17). Na verdade, o apóstolo Paulo entendia que era sua responsabilidade apresentar "todo homem perfeito em Cristo", e para isso se esforçava sobremaneira (Cl 1.28, RA).

Devemos lembrar que os autores e leitores do texto bíblico não eram contemporâneos nem amigos de Platão, e não pautavam sua visão de mundo pelos filósofos gregos. Embora mergulhados na cultura helênica, a origem de sua cultura era a tradição judaica, os profetas de Israel. Sua cabeça não era feita em Atenas, mas em Jerusalém.

Jamais podemos nos esquecer de que Jesus era judeu. E, como bom judeu, pensava na perfeição em categorias absolutamente diferentes daquelas próprias dos gregos. Para Jesus, a perfeição não apontava para algo sem defeito. A perfeição não era uma realidade estática e imutável. Jesus fala da perfeição não como perfectibilidade moral. Para ele, a perfeição é realidade relacional. A perfeição não é uma condição, é uma relação, um relacionamento. Deus é perfeito porque dá a luz do sol tanto a maus como a bons e faz chover tanto sobre justos como injustos. Isso faz lembrar as palavras de Paulo: "Acima de tudo, revistam-se do amor que une todos nós em perfeita harmonia" (Cl 3.14).

Perfeito é quem ama. E ama incondicional e indistintamente. A perfeição grega é uma condição: ausência de defeito. A perfeição divina é uma relação: abençoar bons e maus, justos e injustos. Fazer o sol se levantar e derramar chuva sobre ambos.

Jesus abre uma janela de compreensão surpreendente. Leva a perfeição a um nível inesperado. Inverte a expectativa e o senso comum. Quando se pensa na perfeição como a dimensão do "não defeito", Jesus afirma exatamente o oposto: a perfeição é a capacidade de conviver e amar o que é defeituoso, isto é, o que usualmente se considera imperfeito. A perfeição na Bíblia é justamente a capacidade de conviver com o que não é perfeito.

Muitas passagens bíblicas mencionam coisas e tipos de pessoas que não agradam a Deus. Ela diz que "Deus se opõe aos orgulhos, mas concede graça aos humildes" (Tg 4.6; 1Pe 5.5). Deus não gosta de pessoas soberbas. Deus tem preferências. Ele gosta de uns e não gosta de outros. Mas Deus ama a todos, não faz acepção de pessoas, isto é, trata todos do mesmo jeito, igualmente, sem parcialidade. Então começamos a entender que amar é diferente de gostar. Amar é querer o bem. Gostar é querer perto.

Quando lemos os evangelhos, percebemos que Jesus não gostava de todo mundo. Ele estava rodeado de pessoas "não gostáveis". Ele não fazia de conta que gostava de todo mundo, nem se fazia de simpático com todo mundo. Muito ao contrário. Não perdia a oportunidade de criticar duramente determinados comportamentos e posturas, e identificar algumas pessoas como víboras, sepulcros caiados, hipócritas e coisas do tipo (Mt 12.34; 23.27). Jesus conseguia identificar as pessoas más e injustas do seu tempo. E não gostava muito delas. Mas amava a todas elas, porque amar é querer o bem, amar é fazer pelo bem.

Deus levanta o seu sol sobre justos e injustos. Deus manda chuva para os bons e os maus. Ele preserva a vida dos bons e maus, dos justos e injustos. Amar é sustentar a vida indiscriminadamente, mesmo das pessoas não gostáveis, das pessoas de que não gostamos.

Mas tome cuidado. Jesus é sempre surpreendente. Não se apresse em apontar as pessoas não gostáveis, ou classificar fulano e beltrano como mal ou injusto. Não pense que Jesus encontra os não gostáveis entre aquelas pessoas de vida torta, que não se comportam de acordo com os padrões morais de sua época. Se você está pensando que Jesus está chamando de "raça de víboras" as pessoas descaradamente pecadoras, explicitamente transgressoras e transgressivas, você está redondamente enganado.

Tenho certeza de que, se você pudesse perguntar a Jesus que tipo de gente ele não gostava de ter por perto e quem seriam as pessoas que ele achava que estragavam a festa, certamente apontaria para os fariseus e doutores da lei, ou seja, justamente as pessoas que pensavam ser perfeitas. Os critérios de Jesus são distintos dos nossos. Batemos o olho em Zaqueu, um cobrador de impostos corrupto e desonesto, e logo imaginamos que ele não consta da lista de bem-vindos à mesa de Jesus. Logo abaixo vêm a mulher adúltera, as prostitutas... E Jesus diz que esse pessoal está entrando antes dos fariseus no reino de Deus (Mt 21.31).

Na parábola do fariseu e do publicano (Lc 18.9-14), Jesus descreve o homem que confiava na própria justiça, que se achava bom e correto. Ele fala desse sujeito que confunde sua opinião e sua perspectiva do mundo com a verdade absoluta sobre as coisas e as pessoas. Esse religioso zeloso de sua tradição, que tinha muita certeza de tudo, que ditava regra para todo mundo, que corrigia todos à sua volta, que se achava sempre certo e que queria enquadrar todo mundo na sua bitola de percepção de como a vida deve ser, é justamente ele quem Jesus deixa falando sozinho. Pensa que ora a Deus, mas fala consigo mesmo, num funesto solilóquio. Cheio de empáfia, despenca para mais longe de Deus.

Pessoas como esse fariseu da parábola, legalistas e moralistas, tornam-se intransigentes e intragáveis. Tornam-se opressivas porque se acreditam perfeitas demais, boas demais. Porque se consideram exemplares, acham que todos devem concordar com elas, viver do jeito que vivem e comportar-se como elas se comportam. Pensam que sabem viver, que sabem o que é melhor para todo mundo. Oprimem outros com seus caprichos e padrões. Tentam impor sua perspectiva de vida e insistem em nos convencer de que agem assim "por amor". Essas pessoas são perigosíssimas.

Deus, nosso Pai perfeito, sabe conviver com nossa liberdade. Ele dá vida para bons e maus. Ele ama. Ele pode até não gostar. Porque nos criou à sua imagem e semelhança, somos livres, inclusive para fazermos maldades e praticarmos a injustiça. E Deus convive com isso. Como todo pai, padece de amor, sofre porque nos ama.

O amor pressupõe liberdade. Deus, nosso Pai, não nos oprime, não impõe sobre nós, à força, sua vontade. Ele convive com nossa rebeldia e rebelião, sem nos tiranizar com seu poder, sem nos coagir ou corromper nossa vontade. E não deixa de nos abençoar com sol e chuva.

A conhecida parábola dos dois filhos (Lc 15.11-32) ilustra bem como Deus lida com nossa rebeldia e imperfeição. Na história que Jesus nos conta, um filho, o mais novo, diz de maneira brusca e ríspida ao pai: "Quero o que é meu!". O pai, sem discutir, simplesmente reparte a herança entre os filhos e deixa o mais novo seguir seu caminho em total liberdade. O menino imagina que vai ao encontro da realização, mas na verdade desce a ladeira da autodestruição, até se encontrar comendo com os porcos. O incômodo dessa história é a atitude do pai: observa de longe, acompanha os passos do filho, enquanto sofre de amor, aguardando o menino "cair em si".

A história tem um final feliz. Ou meio feliz. Jesus diz que o filho que estava perdido é achado, que estava morto e volta à vida. Longe de casa e na mais profunda perdição, ele se lembra do coração amoroso e generoso do pai: "Até os empregados de meu pai têm comida de sobra, e eu estou aqui, morrendo de fome" (Lc 15.17). Volta para casa, arrependido, e é recebido com festa. A história termina em suspense. O mais velho, que se julgava perfeito e correto, não recebe o irmão com a mesma alegria. Ocupado consigo mesmo, com seus direitos e critérios de justiça, é incapaz de celebrar a vida e o amor. O pai o interpela para o reencontro e o convida para o banquete, mas não sabemos como ele responde.

Com Deus aprendemos a amar as pessoas não gostáveis. Somos encorajados a tratá-las de maneira a suscitar em seu coração o sentido da generosidade, da gratuidade e do perdão. O caminho de Deus não é o controle, o chicote, a ameaça do castigo e da punição. É a cruz que seduz. É o amor que constrange, como disse o apóstolo Paulo: não são a força, o argumento, o poder, nem mesmo o milagre que constrangem. É o amor. Apenas o amor constrange (2Co 5.14).

Quando ouvimos a voz que se pronuncia em amor e nos rendemos a Deus, passamos a também amar a vontade de Deus como se fosse a nossa. Podemos orar como Santo Agostinho: "Deus, ensina-me a fazer a tua vontade como se fosse a minha".

A obediência não é resultado da violenta imposição de Deus sobre nós. Ele não nos castra, não se relaciona conosco na perspectiva do controle. Deus só conhece relações de amor. Por essa razão, a santidade tem a ver com relações de amor, especialmente com as pessoas não gostáveis, aquelas que se consideram modelo de perfeição, de correção, de integridade, de justiça.

As pessoas não gostáveis moram perto. Às vezes, moram dentro de casa, dormem na mesma cama, comem na mesma mesa, dividem o mesmo espaço. Normalmente tratamos os não gostáveis, de dentro ou fora, de duas maneiras: odiando-os ou hostilizando-os. No Sermão do Monte, Jesus nos adverte sobre as duas reações, embora em geral nos ocupemos mais com a questão do ódio e da raiva, por nos parecer mais grave.

Vocês ouviram o que foi dito a seus antepassados: "Não mate. Se cometer homicídio, estará sujeito a julgamento". Eu, porém, lhes digo que basta irar-se contra alguém para estar sujeito a julgamento. Quem xingar alguém de estúpido, corre o risco de ser levado ao tribunal. Quem chamar alguém de louco, corre o risco de ir para o inferno de fogo.

Portanto, se você estiver apresentando uma oferta no altar do templo e se lembrar de que alguém tem algo contra você, deixe sua oferta ali no altar. Vá, reconcilie-se com a pessoa e então volte e apresente sua oferta.

Quando você e seu adversário estiverem a caminho do tribunal, acertem logo suas diferenças. Do contrário, pode ser que o acusador o entregue ao juiz, e o juiz, a um oficial, e você seja lançado na prisão. Eu lhe digo a verdade: você não será solto enquanto não tiver pago o último centavo.

Mateus 5.21-26

Mas Jesus vai muito além da mera reconciliação. Ele diz que não devemos nos contentar com saudar apenas os amigos, as pessoas de quem gostamos. Isso qualquer um é capaz de fazer. Amar as pessoas gostáveis é fácil. O desafio é amar os maus e injustos. Esse tipo de amor é que demonstra que de fato somos filhos e filhas de Deus. O amor é o teste de DNA divino.

O ódio é considerado uma forma de amor uma vez que a pessoa odiada continua em nossa vida, mora dentro de nós, em nossas memórias emocionais, e nos faz sofrer, ainda que seja de raiva. O oposto do amor, portanto, não é o ódio, mas a indiferença. A indiferença é "deixar de saudar", deixar de cumprimentar, de reconhecer a presença, algo como dizer: "Para mim, você morreu, e por isso não lhe dou nem bom dia, nem boa tarde, nem boa noite".

O que devemos fazer em tais situações? Como devemos tratar as pessoas não gostáveis? Devemos fazer o sol se levantar sobre elas. Quando as pessoas deixam de ser gostáveis, fazemos chover sobre elas, para que brotem novas sementes, novas flores. A Bíblia diz que não devemos nos deixar vencer pelo mal, mas vencer o mal com o bem (Rm 12.21). Fazer o bem. Amar os não gostáveis.

O que é santidade, então? Santidade é agir com bondade com os outros. Em uma sociedade onde se vive a intolerância e a intransigência de discursos e cultura do ódio, precisamos ter muita santidade. Santidade para não hostilizar, para não odiar, para não vingar. Santidade para não julgar, para não eliminar, para não excluir. Santidade para não ignorar, para dar bom dia, boa tarde, boa noite. Santidade para acolher os não perfeitos, os não gostáveis.

Santidade tem a ver com relações, especialmente com os não gostáveis. Especialmente com aqueles que cultivam nosso espaço mais imediato de convivência, nossa casa, e mais ainda com aqueles que nos machucam e nos ferem mais profundamente.

Se amarmos como Deus ama, seremos filhos do nosso Pai que está no céu.

"O amor de Deus não se destina ao que vale a pena ser amado", disse Martinho Lutero. "O amor de Deus cria o que vale a pena ser amado." A graça de Deus derramada sobre nós cria o que é gostável, o que vale a pena ser amado.

A santidade como perfeição não é a condição de ser sem defeito. É a capacidade de amar os imperfeitos. Inclusive a nós mesmos.

3
ALUMBRAMENTO

No ano em que o rei Uzias morreu, eu vi o Senhor. Ele estava sentado em um trono alto, e a borda de seu manto enchia o templo. Acima dele havia serafins, cada um com seis asas: com duas asas cobriam o rosto, com duas cobriam os pés e com duas voavam. Diziam em alta voz uns aos outros:

"Santo, santo, santo é o Senhor dos Exércitos;
toda a terra está cheia de sua glória!"

Suas vozes sacudiam o templo até os alicerces, e todo o edifício estava cheio de fumaça.

Então eu disse: "Estou perdido! É o meu fim, pois sou um homem de lábios impuros e vivo no meio de pessoas de lábios impuros. Meus olhos, porém, viram o Rei, o Senhor dos Exércitos!".

Então um dos serafins voou em minha direção, trazendo uma brasa ardente que ele havia tirado do altar com uma tenaz. Tocou meus lábios com a brasa e disse: "Veja, esta brasa tocou seus lábios. Sua culpa foi removida, e seus pecados foram perdoados".

Então ouvi o Senhor perguntar: "Quem enviarei como mensageiro a este povo? Quem irá por nós?".

E eu respondi: "Aqui estou; envia-me".

Isaías 6.1-8

A Bíblia Sagrada é um livro de arquétipos. Embora as personagens bíblicas sejam figuras históricas, elas também nos representam e simbolizam. Nós nos vemos em cada uma delas. Estamos nelas, e elas estão em nós. As experiências vividas pelas pessoas descritas nas Escrituras são, sim, particulares, como as de Noé, de Abraão, de Moisés, de Davi, mas constituem experiências humanas universais, que se renovam e se repetem constantemente. São experiências que, embora particulares, históricas e localizadas na vida e no tempo de uma pessoa, estão presentes hoje e em nós.

A diferença entre uma notícia e um conto de fadas é que a notícia, ao contrário do conto, representa um fato histórico que não se repete. Não existiu uma Chapeuzinho Vermelho e um lobo que comeu a vovozinha. Mas todo dia uma menina vestindo fita vermelha sofre abuso de um lobo maldito.

A Bíblia é a mistura dessas duas dimensões. Ela registra fatos históricos, mas também fatos que se repetem. Não necessariamente da mesma maneira, mas as histórias bíblicas acontecem todos os dias. Isaías, o profeta hebreu, nos representa. Você e eu estamos nele, podemos nos ver em sua história com Deus. A experiência de santidade de Isaías pode ser a nossa também. Ela está dividida em três momentos simultâneos e complementares, o que equivale a dizer que a experiência da santidade implica necessariamente viver esses três momentos, sem os quais ficamos excluídos da possibilidade de conhecer o Deus Santo, Santo, Santo.

O primeiro momento é o que chamamos de êxtase, arrebatamento, encantamento. A melhor palavra para descrever essa experiência humana é alumbramento: uma mistura de iluminação e maravilhamento. O profeta testemunha dizendo que viu o Senhor "sentado em um trono alto, e a borda de seu manto enchia o templo. Acima dele havia serafins, cada um com seis asas: com duas asas cobriam o rosto, com duas cobriam os pés e com duas voavam" (Is 6.1-2). Uma visão de tirar o fôlego!

O profeta experimenta um arrebatamento que afeta por completo emoções, sentimentos, pensamentos e percepções da realidade. Ele está em êxtase diante da visão espiritual. A Bíblia conta histórias de pessoas que passaram por experiências semelhantes. Moisés, por exemplo, enquanto caminha pelo deserto depara com uma sarça incandescente, algo que ele já havia visto inúmeras vezes (Êx 3.1-4). No deserto, é comum que arbustos queimem por combustão espontânea devido às altas temperaturas. Mas daquela vez algo extraordinário acontecia bem diante de seus olhos. A sarça queimava, mas não se consumia. Moisés estava diante do inusitado. E por isso fica arrebatado e maravilhado. Ou, melhor dizendo, alumbrado.

O apóstolo Pedro também vive algo semelhante. Certa vez a multidão foi se aglomerando em volta de Jesus em busca de maior proximidade para ouvir seus ensinamentos. Jesus foi dando passos para trás, e aos poucos foi adentrando o mar. A solução foi pedir a um pescador que o acolhesse em seu barco e o afastasse um pouco, para que pudesse continuar a ensinar. Certamente, enquanto consertava suas redes e ouvia as palavras de Jesus, o coração de Pedro foi se enchendo de encantamento. Mas nada se comparou com o que aconteceu em seguida.

Quando terminou de falar, disse a Simão: "Agora vá para onde é mais fundo e lancem as redes para pescar".

Simão respondeu: "Mestre, trabalhamos duro a noite toda e não pegamos nada. Mas, por ser o senhor quem nos pede, vou lançar as redes novamente". Dessa vez, as redes ficaram tão cheias de peixes que começaram a se rasgar. Então pediram ajuda aos companheiros do outro barco, e logo os dois barcos estavam tão cheios de peixes que quase afundaram.

Quando Simão Pedro se deu conta do que havia acontecido, caiu de joelhos diante de Jesus e disse: "Por favor, Senhor, afaste-se de mim, porque sou homem pecador". Pois ele e seus companheiros ficaram espantados com a quantidade de peixes que haviam pescado, assim como seus sócios, Tiago e João, filhos de Zebedeu.

Lucas 5.4-10

Alumbramento é a palavra que descreve o impulso que coloca Pedro de joelhos diante de Jesus. A mesma coisa acontece com outro apóstolo. Durante seu exílio na ilha de Patmos, João tem uma visão de Jesus glorificado, e cai aos seus pés como morto.

Eu, João, irmão e companheiro de vocês no sofrimento, no reino e na perseverança para a qual Jesus nos chama, estava exilado na ilha de Patmos por pregar a palavra de Deus e testemunhar a respeito de Jesus. Era o dia do Senhor, e me vi tomado pelo Espírito. De repente, ouvi atrás de mim uma forte voz, como um toque de trombeta, e a voz dizia: "Escreva num livro tudo que você vê e envie-o às sete igrejas nas cidades de Éfeso, Esmirna, Pérgamo, Tiatira, Sardes, Filadélfia e Laodiceia".
Quando me voltei para ver quem falava comigo, vi sete candelabros de ouro e, em pé entre eles, havia alguém semelhante ao Filho do Homem. Vestia um manto

comprido, com uma faixa de ouro sobre o peito. A cabeça e os cabelos eram brancos como a lã e a neve, e os olhos, como chamas de fogo. Os pés eram como bronze polido, refinado numa fornalha, e a voz ressoava como fortes ondas do mar. Na mão direita tinha sete estrelas, e de sua boca saía uma espada afiada dos dois lados. A face brilhava como o sol em todo o seu esplendor.

Quando o vi, caí a seus pés, como morto. Ele, porém, colocou a mão direita sobre mim e disse: "Não tenha medo! Eu sou o Primeiro e o Último. Sou aquele que vive. Estive morto, mas agora vivo para todo o sempre! E tenho as chaves da morte e do mundo dos mortos".

Apocalipse 1.9-18

A experiência de alumbramento nos leva a um estado alterado de consciência que nos permite perceber existências e realidades para além das paredes do universo, coisas que não conseguimos explicar ou nominar. Não tente explicar o sublime. As reações das personagens bíblicas, como as do profeta Isaías e dos apóstolos Pedro e João, sugerem que frente ao inominável e inusitado viram-se diante de duas opções: render-se ou dissolver-se. Isaías associa o Santo, Santo, Santo a um "fogo consumidor". Pedro suplica, desesperado, ao Deus encarnado em Jesus de Nazaré: "Afaste-se de mim". João desfalece como morto sob a majestade maravilhosa do Cristo ressurreto.

Saulo de Tarso teve uma experiência muito semelhante. Na estrada que levava à cidade de Damasco, foi envolto por uma forte luz e jogado ao chão (At 9.1-9). Completamente cego, ouve uma voz que o interpela: "Saulo, Saulo, por que você me persegue?". Era Jesus falando à profundidade de sua consciência.

As experiências de alumbramento de Moisés, do profeta Isaías e dos apóstolos Pedro, João e Paulo são arquetípicas. Elas falam de um momento em que o ser humano se dá conta de que existe algo além dos sentidos físicos. Falam do instante de conexão com o transcendente, como se fosse de outra dimensão de vida e existência. Desvelam o encontro com um poder espiritual, uma força vital, uma realidade sublime que costumamos chamar de Deus. Você já teve essa experiência?

No caso das personagens bíblicas, o encontro com Deus aconteceu diante de Jesus Cristo, o próprio Deus encarnado, morto e ressurreto. O Deus bíblico se revelou em Jesus de Nazaré, o Cristo. O encontro com Deus é mediado pela pessoa, vida e obra de Jesus Cristo. Quem se encontra com Jesus em sua identidade legítima se encontra com Deus.

Então pergunto novamente: você já teve um encontro com Jesus Cristo? Como Jesus se manifestou para você? Como Jesus encontrou você? Você esteve diante de um fenômeno inexplicável como a "sarça ardente"? Têm alguma memória de um lugar especial, como o "templo cheio de glória"? Viveu algum milagre, uma experiência inexplicável como a "pesca maravilhosa"? Onde foi sua "estrada de Damasco" e sua "ilha de Patmos"? Quando a consciência a respeito de Jesus Cristo se instalou em você de maneira arrebatadora e definitiva? Quando você recebeu Jesus Cristo como Deus da sua vida? Você já se dirigiu a Jesus Cristo com as mesmas palavras de Tomé: "Senhor meu e Deus meu" (Jo 20.28)? Já declarou, como o apóstolo Paulo: "para mim, o viver é Cristo, e o morrer é lucro" (Fp 1.21)? Isto é, Jesus Cristo já se tornou a fonte de sustentação de sua vida e a garantia de sua vitória sobre a morte?

Paulo, apóstolo, usa uma expressão muito interessante para descrever seu encontro com Jesus Cristo. Ele disse que aquele foi o dia em que "Deus revelou seu Filho em mim" (ver Gl 1.15-16). Nesse dia, tudo mudou. Ele disse que não consultou pessoa alguma, o que indica que essa experiência é pessoalíssima, dificilmente pode ser traduzida em palavras e prescinde da opinião de terceiros. O encontro com Deus é pessoal, da intimidade mais profunda da consciência humana, e se constituiu em uma história de sentido impenetrável e indevassável para quem o experimenta.

Algo curioso nas experiências de alumbramento narradas na Bíblia é a presença do medo. Todas as vezes que alguém percebe estar diante do Santo, Santo, Santo, a reação imediata é cair ao chão em atitude de quebrantamento, humilhação e temor reverente. Todas as vezes que Deus se revela de maneira maravilhosa para uma pessoa ele se apressa em pronunciar amorosamente: "Não tema, não tenha medo de mim".

O medo, quase um pânico, mais adequadamente identificado pela expressão bíblica "temor", é um ingrediente imprescindível ao encontro com Deus. A razão para isso é não apenas a majestade, a grandiosidade e a intensidade da presença divina, da ordem do insuportável para a finitude humana, mas também e consequentemente o senso de inadequação do ser humano diante de algo tão estupendo e sublime. A reação natural do ser humano que se percebe alvo da bondade, da graça e do amor todo-poderoso de Deus é o constrangimento e o imediato senso de não merecimento, ou mesmo o encolhimento próprio de quem teme ser destruído sob a pesada glória que se revela e manifesta.

Temer ser consumido pelo fogo da santidade, como ocorreu com Isaías, cair como morto, como aconteceu com João, ser derrubado e ficar cego como Saulo de Tarso, lançar-se aos pés a exemplo de Pedro, ou mesmo tirar as sandálias, como foi ordenado a Moisés, são atitudes dramáticas que afirmam categoricamente não ser aceitável tratar com displicência ou naturalidade o divino que se manifesta e revela. E esse é o segundo momento da experiência de santidade como alumbramento. Quem depara com o Deus Santo, Santo, Santo se encolhe, se afasta e teme. Porque não há banalidade diante de Deus. A história da transfiguração de Jesus confirma essa experiência. Jesus aparece glorioso diante de Pedro, Tiago e João no monte Tabor. Em resposta ao espanto dos discípulos, Jesus dirigiu-lhes palavras de tranquila serenidade: "Não tenham medo" (Mt 17.1-13; Mc 9.2-13; Lc 9.28-36). A experiência da santidade acontece no encontro entre a sublimidade divina e a finitude humana. Quem vive o alumbramento — iluminação e maravilhamento — experimenta ao mesmo tempo o encanto com Deus e o desencanto consigo. A tomada de consciência de nossa distância em relação ao que existe além de nós nos faz temer e tremer. Foi o que aconteceu com os discípulos que viram Jesus andar sobre as ondas do mar enquanto se dirigia ao barco assolado pela tempestade. O inusitado da situação os fez pensar tratar-se de um fantasma. Mas Jesus logo se dirige a eles, dizendo: "Sou eu! Não tenham medo", ou, se preferir: "Não tenham medo, Eu Sou" (Jo 6.16-20).

A voz que diz "não tenha medo" também nos chama, nos convida para perto, nos acolhe e nos abraça. Assim como aconteceu na experiência de Isaías, um anjo também toca a nossa alma, sara a nossa ferida, trata da nossa dor, afasta a nossa culpa e vergonha. Deus é gentil para nos tocar amorosamente onde ninguém havia tocado. Mais ainda, Deus nos toca amorosamente no local exato em que fomos alvo de agressão, ferimento e violência. Onde dói, onde está ferido, é exatamente ali que Deus derrama o bálsamo de sua graça.

A experiência de alumbramento implica espanto, assombro e maravilhamento diante da manifestação de Deus. Resulta do estranhamento diante de sua santidade, quando exclamamos: "Ai de mim!".

Mas também experimentamos o acolhimento amoroso e a graça restauradora de Deus e aí seguimos para uma terceira experiência, quando ouvimos Deus nos perguntar: "A quem enviarei? Quem há de ir por nós?". O encontro com Deus nos redefine por inteiro e nos arremessa a um novo estilo de vida, um novo jeito de ser, que se manifesta em testemunho de sua graça redentora. O encontro com Jesus, a conversão, é uma experiência consequente: transformados pela experiência do alumbramento, passamos a ser outra pessoa. Esse é o significado de "nascer de novo".

A Bíblia usa a imagem do romance e do casamento para referir a relação entre Deus e o povo de Israel, Jesus e a igreja. A santidade é uma conjugalidade: o amor entre Deus e as pessoas a quem ele se revela. O alumbramento é semelhante ao apaixonamento, que na língua inglesa se define como *fall in love*, cair em amor, como quem é capturado e se vê imerso numa dimensão de sentimentos e emoções incontroláveis, um verdadeiro arrebatamento dos sentidos.

A força da paixão é praticamente irresistível. Nenhum sacrifício é grande demais para quem está apaixonado. Nada se compara ao objeto da paixão como fonte de prazer e satisfação. Tudo é relativizado e diminuído quando diante daquilo que capturou o coração dos amantes. Jesus comparou o encontro com o reino de Deus com essa experiência arrebatadora. Disse que "o reino dos céus também é como um negociante que procurava pérolas da melhor qualidade. Quando descobriu uma pérola de grande valor, vendeu tudo que tinha e, com o dinheiro da venda, comprou a tal pérola" (Mt 13.45-46). Jesus também comparou a experiência do reino de Deus com "um tesouro escondido que um homem descobriu num campo. Em seu entusiasmo, ele o escondeu novamente, vendeu tudo que tinha e, com o dinheiro da venda, comprou aquele campo" (Mt 13.44).

Quando algo ou alguém nos arrebata o coração, a vida passa a gravitar esse desejo. Naturalmente passamos por mudanças e transformações: prioridades, compromissos, responsabilidades e até mesmo crenças e valores morais e éticos entram em suspeição. Sem nenhum esforço, apenas deixando-nos levar pela força da paixão, tornamo-nos de fato outra pessoa. A paixão transforma o nosso ser.

A paixão, entretanto, passa. Os neurocientistas dizem que a paixão dura entre um e oito meses. Por isso os romances não se sustentam nas paixões. A conjugalidade é uma experiência de amor, e o amor, como já nos avisou Lulu Santos, é para quem "realiza a força que tem uma paixão". Há muita gente viciada em paixão. Sabe se apaixonar — o que, aliás, não exige muito. Mas não é capaz de realizar o amor. A paixão é a antessala do amor. Os adolescentes se apaixonam e assim se matriculam na escola do amor. O amor, porém, é coisa para gente grande. O amor é o dia seguinte da paixão.

O amor nunca desiste.
O amor se preocupa mais com os outros que consigo
   mesmo.
O amor não quer o que não tem.
O amor não é esnobe,
Não tem a mente soberba,
Não se impõe sobre os outros,
Não age na base do "eu primeiro",
Não perde as estribeiras,
Não contabiliza os pecados dos outros,
Não festeja quando os outros rastejam,
Tem prazer no desabrochar da verdade,
Tolera qualquer coisa,
Confia sempre em Deus,
Sempre procura o melhor,
Nunca olha para trás,
Mas prossegue até o fim.

1Coríntios 13.4-7, *A Mensagem*

Quando a paixão passa, percebemos que o relacionamento exige sacrifícios, renúncias, entregas e acordos. Implica ceder e conceder, em alguns momentos dar passos
para trás, por vezes andar mais devagar, e pode nos fazer abrir mão de sonhos e aspirações que realizaríamos
se vivêssemos sozinhos. O caminho do amor interpela os
amantes à constante transformação, de si mesmos e da relação a dois. O amor é para gente grande. Nos dois sentidos: adulta e nobre.

Quando o encantamento passa, enfrentamos a necessidade real de perdoar, priorizar a relação, a família, a
casa. O amor, diferentemente da paixão, requer que dei-
xemos de ser menino ou menina e cresçamos, abracemos

as responsabilidades de um homem ou de uma mulher. O amor é o avesso do egocentrismo e do egoísmo. Quem ama se esquece de si mesmo. Quem não se realiza na força do amor pula de paixão em paixão. Assim também é com Deus. A experiência de alumbramento é arrebatadora. Você vende tudo para comprar a pérola de grande valor, abre mão de tudo para possuir o campo onde existe um tesouro. O encontro com Jesus é seguido de uma espécie de lua de mel religiosa: você ouve louvor o dia inteiro, devora a Bíblia, vai à igreja todo dia, fala de Jesus para todo mundo. Por causa de Jesus você briga, rompe sociedade, confessa pecado, perde perdão, quebra seus discos... Mas isso passa. Lembra-se do período de um a oito meses? Então a igreja já não é assim tão maravilhosa, as orações não são respondidas como você gostaria, as pessoas que falavam de Jesus para você de maneira tão legal agora são insuportáveis, intragáveis. A paixão passou, agora você tem que crescer.

Passado o arrebatamento do coração, apagadas as luzes, encerrada a música e esvaziado o salão, a vida voltou ao seu lugar. Agora é você e Jesus. Ele olhando para você e dizendo: "Deixe que eu mexa aí onde dói... deixe-me colocar uma brasa aí...". Agora é a relação de amor.

Os homens e as mulheres da Bíblia que chamamos heróis da fé tiveram experiências de alumbramento, de êxtase e maravilhamento. Mas depois se lançaram na vida e viveram com Deus um compromisso de amor. A paixão é um sentimento. Apaixonados, fazemos coisas que não nos exigem disciplina — despertamos cedo, sem despertador. Já o amor é um entranhamento de vidas. É quando encontro alguém que passa a me constituir. A partir do encontro não me percebo mais sem esse outro alguém que veio morar em mim.

A Bíblia diz que "o homem deixará pai e mãe e se unirá à sua mulher, e eles se tornarão uma só carne" (Gn 2.24, NVI). Eles estão entranhados. Também diz a Bíblia que "ninguém separe o que Deus uniu" (Mt 19.6). Nem mesmo o divórcio desfaz a unidade "uma só carne". Você pode se afastar da convivência, interromper a relação, mas o que foi vivido, o que foi realizado na força de uma paixão permanecerá. Aquilo que foi vivido em amor passa a constituir os amantes. Pode vir a ser ressignificado, mas estará ali para sempre. Assim também, quando nossa vida é unida a Jesus e passamos a viver a experiência mística que o apóstolo Paulo define como "estar em Cristo" e "Cristo em nós" (2Co 5.17; Cl 1.27), se estabelece uma relação definitiva.

Mais que um sentimento, o amor é um estado de ser. Quem ama tem a vida entranhada em outra vida. Quem ama mora dentro de alguém, e recebe em si a pessoa amada. A relação de amor que tenho com minha esposa me diz que, mesmo quando ela não está sendo gostável, ela está dentro de mim. E, para onde eu vou, eu a levo comigo. Eu não sei pensar minha vida sem ela. E também moro dentro dela, mesmo nas vezes em que não sou gostável — e são muitas. Mesmo nos tempos de esfriamento da paixão. Evidentemente, melhor é quando a paixão novamente se acende entre nós. O casamento guarda esse mistério: no amor nos apaixonamos muitas vezes pela mesma pessoa. Mas nosso casamento não sobrevive por causa da paixão. É uma relação de amor.

Penso na minha experiência com Deus como um casamento. Meu amor por Deus perdura mesmo quando não está tudo bem entre nós. No amor de Deus eu sou, mesmo quando não estou fazendo tudo como deveria e não estou sendo tudo que gostaria. Não raras vezes estamos em silêncio, mas jamais indiferentes um ao outro. Podemos estar estranhados, mas, porque entranhados, estamos em amor. E nada pode me separar do amor de Deus.

A maneira de encarar minha santidade não tem a ver com fazer tudo certo, satisfazer as expectativas de Deus, ou com estar sempre alumbrado e em estado de êxtase espiritual. A santidade implica jamais ser indiferente em relação a Deus. A santidade é essa profunda consciência de que Jesus está em mim. Ele está aqui. E não importa o que esteja fazendo, como me sinta ou o que pense, não conseguirei arrancá-lo de mim. Porque tenho com ele, e especialmente ele tem comigo, uma relação de amor.

Se o oposto do amor não é o ódio, mas a indiferença, no amor há brigas, discórdias, decepção, frustração e também arrependimento, pedido de perdão, reconciliação. Tem tudo isso misturado. Fazer a vontade de Jesus por vezes me dá náuseas, exige muito de mim. Mas a santidade é uma experiência de não o ignorar, não ser hostil à sua presença. Ainda que seja para reclamar e brigar com ele.

Houve um tempo em que eu acreditava que a santidade era estar em constante alumbramento com Jesus. Achei que ser santo tinha a ver com estar apaixonado por Jesus o tempo todo. Também já acreditei que santidade era andar na luz o tempo todo, sem erro, sem falta, sem pecado. Ser santo equivalia a ser perfeito, agir sempre e exclusivamente segundo a vontade de Deus. Até que descobri que a santidade se sustenta na consciência de que Jesus entranhou sua vida na minha. Deus me tomou para si e em si. Assumiu como seu e em si não apenas a mim mesmo, mas tudo o que sou. E isso foi de uma vez para sempre.

Que podemos dizer diante de coisas tão maravilhosas? Se Deus é por nós, quem será contra nós? Se ele não poupou nem mesmo seu próprio Filho, mas o entregou por todos nós, acaso não nos dará todas as outras coisas? Quem se atreve a acusar os escolhidos de Deus? Ninguém, pois o próprio Deus nos declara justos diante dele. Quem nos condenará, então? Ninguém, pois Cristo Jesus morreu e ressuscitou e está sentado no lugar de honra, à direita de Deus, intercedendo por nós.

O que nos separará do amor de Cristo? Serão aflições ou calamidades, perseguições ou fome, miséria, perigo ou ameaças de morte? Como dizem as Escrituras: "Por causa de ti, enfrentamos a morte todos os dias; somos como ovelhas levadas para o matadouro". Mas, apesar de tudo isso, somos mais que vencedores por meio daquele que nos amou.

E estou convencido de que nem morte nem vida, nem anjos nem demônios, nem o que existe hoje nem o que virá no futuro, nem poderes, nem altura nem profundidade, nada, em toda a criação, jamais poderá nos separar do amor de Deus revelado em Cristo Jesus, nosso Senhor.

Romanos 8.31-39

4

ATREVIMENTO

Mas Abraão tornou a falar: "Sei que já fui muito ousado ao ponto de falar ao Senhor, eu que não passo de pó e cinza".

Gênesis 18.27, NVI

A santidade de Deus implica a nossa santidade. As palavras do próprio Deus ao povo de Israel, repetidas pelo apóstolo Pedro, não deixam dúvidas: "Sejam santos, pois eu sou santo" (Lv 11.45; 1Pe 1.15-16). O senso comum pensa em santidade como perfectibilidade comportamental, ou seja, viver em santidade equivale a fazer o que é certo e deixar de fazer o que é errado. A experiência mística e a relação com o Deus Santo, Santo, Santo se degeneram em gestão moral. Na tradição bíblica, entretanto, a santidade está relacionada à atitude do coração diante de Deus — temor do Senhor, muito além da moralidade comportamental. Essa é a grande revelação presente na história e na peregrinação de Abraão, a quem Paulo, apóstolo, concedeu o *status* de pai da fé (Rm 4.11).

Abraão ilustra e revela a santidade como um tipo de coração diante de Deus. As palavras de sua oração expressam um *mea culpa* pelo atrevimento de dirigir a palavra a Deus. Quando ora dizendo: "Sei que já fui muito ousado a ponto de falar ao Senhor" na verdade não se desculpa pelo que diz ou pelo pedido que apresenta a Deus. Ele está se desculpando pelo simples fato de falar, de se dirigir a Deus.

Ao tomar conhecimento de que Deus pretendia destruir Sodoma e Gomorra, as cidades impiedosas, com ruas cheias de iniquidade e violência, Abraão se lembra de seu sobrinho Ló e inicia uma longa oração em forma de diálogo com Deus.

Então, Abraão o enfrentou e questionou: "Estás falando sério? Estás mesmo planejando eliminar as pessoas boas junto com as más? E se houver cinquenta pessoas decentes na cidade: vais juntar os bons com os maus e te livrar de todos? Não pouparias a cidade por causa desses cinquenta inocentes? Não acredito que farias isto, matar os bons com os maus, como se não houvesse diferença entre eles. Será que o Juiz de toda a terra não sabe julgar com justiça?".

O Eterno respondeu: "Se eu encontrar cinquenta pessoas decentes em Sodoma, pouparei a cidade inteira por causa delas".

Abraão tornou a dizer: "Eu, um simples mortal feito de um punhado de pó da terra, atrevo-me a abrir a boca e ainda perguntar ao meu Senhor: E se faltarem cinco para completar os cinquenta? Destruirás a cidade por causa dos cinco que faltam?".

Ele respondeu: "Não a destruirei se houver ali quarenta e cinco pessoas decentes".

Abraão insistiu: "E se encontrares apenas quarenta?".

"Também não vou destruir a cidade, por causa dos quarenta."

Abraão continuou: "Senhor, não te irrites comigo, mas se encontrares apenas trinta?".

"Se encontrar trinta, não destruo a cidade."

Abraão não desistiu: "Senhor, sei que estou abusando da tua paciência, mas e se houver apenas vinte?".

"Não a destruirei, por causa dos vinte."

Abraão perguntou ainda: "Senhor, não fiques furioso, esta é a última vez que pergunto. E se houver apenas dez?".

"Não destruirei a cidade, por causa das dez pessoas."

O Eterno encerrou a conversa com Abraão e se retirou. Abraão foi para casa.

Gênesis 18.23-33, *A Mensagem*

Em linguagem filosófica e teológica, podemos dizer que Abraão se dirige a Deus a partir de sua autopercepção ontológica. A respeito de si mesmo diz saber não passar de "um punhado de pó da terra". A estrutura de nossa língua portuguesa nem mesmo nos ajuda porque "eu sou" é algo absolutamente impróprio, inadequado para ser pronunciado por um ser humano, e especialmente um ser humano diante de Deus. Somente Deus pode dizer "Eu Sou". Nós não somos. Não temos substância de ser. É isso que Abraão está dizendo: "Eu não sou e, portanto, quem não é não fala, e também não sente, não pensa, não tem vontade própria, não se expressa, não reivindica, não intercede. Porque não é". Abraão é o primeiro ser humano a expressar sua consciência ontológica diante de Deus, a confessar seu *status* de "não ser" diante do grande "Eu Sou".

A interpelação de Jesus aos seus possíveis seguidores, "Se alguém quiser ser meu seguidor, negue a si mesmo" (Mt 16.24), não significa a mera renúncia ou submissão da vontade humana aos desejos divinos. Jesus está instruindo seus discípulos como quem diz: "Negue que você é um si mesmo". Negue que existe aí um eu para falar. Esta é a postura de Abraão diante de Deus: "Não sou um eu... não sou um ser... não sou uma identidade para me dirigir ao Senhor", isto é: "Sou nada e, portanto, nem mesmo deveria estar lhe dirigindo a palavra".

Você e eu somos pó e cinza. Não fazemos nenhuma diferença para o drama cósmico. O universo tem bilhões de anos, e nós habitamos uma estrela entre bilhões de estrelas. Estamos em uma galáxia entre bilhões de galáxias. Qual diferença faz o meu colesterol diante de tudo isso? Nenhuma. Eu sou um nada insignificante diante da magnitude e do esplendor do cosmos. O que acontece ou deixa de acontecer comigo, hoje ou amanhã, não faz a menor diferença para a ordem do universo. Para os bilhões de anos e mundos, e para os bilhões de galáxias e estrelas, eu sou pó, insignificante, impotente. Como diria o Eclesiastes, "vaidade de vaidades", névoa de nada, isso é o que sou.

Quando o Criador do universo, dono do cosmos e do cronos, diz que destruirá uma cidade em razão de sua iniquidade intolerável, o pó se opõe, o pó tem uma ideia melhor! Parece-me que essa seria uma boa experiência embrionária de santidade. Colocar-se diante de Deus dizendo: "Eu não passo de pó e cinza. E o Senhor não me deve explicação ou satisfação de nada. O Senhor não tem obrigação de sustentar minha vida, nem de responder às minhas orações, nem mesmo de mudar seus planos e intenções em resposta às minhas súplicas...".

Esse é o chão da experiência bíblica de santidade: um coração absolutamente quebrantado diante de sua insignificância, não apenas diante de Deus, mas também do universo criado. É essa percepção que faz o salmista cantar:

> Ó Senhor, nosso Senhor, teu nome majestoso enche a
>   terra;
>   tua glória é mais alta que os céus! [...]
> Quando olho para o céu e contemplo a obra dos teus
>   dedos,
>   a lua e as estrelas que ali puseste, pergunto:
> Quem são os simples mortais, para que penses neles?
>   Quem são os seres humanos, para que com eles te
>   importes?
>
> Salmos 8.1,3-4

Com esse coração Abraão se aproxima de Deus. Declara que não passa de pó e cinza. Entretanto, ele se atreve a falar. E a santidade ganha outras cores. Sim, somos pó e cinza. Mas somos um pó atrevido, ousado. Um pó e cinza que fala, pensa, tem vontade, tem desejos. Um pó e cinza que tem autoconsciência, inclusive para saber-se e perceber-se pó e cinza, e consciência, alteridade, a capacidade de inquirir, discordar, debater e propor. Um pó e cinza que fica de mal do Criador, que questiona seus motivos e suas formas. Isso também é santidade.

A santidade implica o paradoxo da ousadia de dirigir a palavra a Deus, sem esquecer-se da condição de pó. A santidade é a atitude de quem, não obstante a profunda consciência de ser nada, tem o atrevimento de se pronunciar diante de Deus. Essa ousadia é a resposta que damos ao próprio Deus. Porque ele quer nos ouvir. A nossa parte é dizer: "Deus, o Senhor não nos deve explicação ou satisfação...", ao que ele responderá: "Mas eu quero ouvir você".

Foi Deus mesmo quem convidou Abraão para conversar.

Então o Eterno disse: "Seria justo esconder de Abraão o que estou para fazer? Ele vai se tornar uma nação grande e forte, e todas as nações do mundo serão abençoadas por meio dele. Eu o escolhi para que ele ensine seus filhos e sua futura família a andar nos caminhos do Eterno, a serem bons, generosos e justos, para que o Eterno possa cumprir o que prometeu a ele".

Gênesis 18.17-19, *A Mensagem*

Parece absurdo, mas Deus quer falar, quer se explicar, quer nossa participação no que está fazendo e quer ouvir nossa oração e nossa opinião a respeito de como pretende fazer as coisas no mundo que deixou aos nossos cuidados. É como se Deus dissesse: "Eu sei que não preciso me importar com você, que não passa de pó e cinza, mas eu quero. Eu escolhi me relacionar com você desse jeito, tenho prazer na sua companhia e não agirei no mundo sem envolver você naquilo que estou fazendo". Deus quer se manifestar na história contando com nossas mãos e nosso coração. Ele conta com nossa inteligência, disposição, iniciativa e potência. Ele diz: "Sim, você é pó e cinza, mas eu soprei sobre você o fôlego da vida. Eu o trouxe do nada à existência. Criei-o à minha imagem e semelhança. Eu soprei de mim em você".

O desfecho dessa conversa entre Deus e Abraão é mesmo a destruição de Sodoma e Gomorra, as cidades impenitentes. Mas há um detalhe que não pode passar despercebido. A Bíblia diz que "quando Deus arrasou as cidades da planície, lembrou-se de Abraão e tirou Ló do meio da catástrofe que destruiu as cidades onde Ló vivia" (Gn 19.29, NVI). Deus lembrou-se de Abraão. Que afirmação maravilhosa! Aos olhos de Deus somos muito mais que pó e cinza. No coração de Deus ocupamos o lugar de filhas e filhos amados.

Somos pó e cinza, mas Deus se importa conosco. Ele sabe quantos fios de cabelo temos na cabeça (Mt 10.30; Lc 12.7). Assim como sabe o nome de todas e cada uma das estrelas dos céus, conhece todos e cada um de nós pelo nome (Is 40.26; Jo 10.27-29). Deus sabe o que passa em nosso coração, e mesmo quando a palavra ainda nem nos chegou aos lábios ele já se apressou em prover para o nosso cuidado, pois nos sustenta na palma de sua mão (Sl 139.1-10).

Os olhos do Criador não repousam. Eles estão atentos a todos os nossos movimentos. As mãos de Deus estão sobre a minha e a sua vida, e os olhos dele percorrem toda a terra até que nos encontrem. Ele nos vigia a todo momento, sem pausa para descanso, sem intervalos. É verdade que somos pó e cinza, mas inseridos no amor eterno de Deus, que não cansa de prestar atenção em nós (2Cr 16.9; Sl 121).

Deus cuida dos passarinhos e das flores, não cuidará também de nós?, pergunta Jesus (Mt 6.25-31). Deus se importa. Nosso sofrimento o afeta, nossos desejos o interpelam, nossas lágrimas o comovem, nossas orações o desestabilizam. O Deus de Israel é um Deus passional. Ele quer destruir uma cidade, mas alguém intercede, e então ele dá passos para trás. Ele diz: "Se vocês se arrependerem, eu mudarei de ideia". Não aconteceu com Sodoma e Gomorra, mas aconteceu com Nínive, para tristeza e espanto do profeta.

Isso tudo deixou Jonas aborrecido e muito irado. Então, orou ao Senhor: "Antes de eu sair de casa, não foi isso que eu disse que tu farias, ó SENHOR? Por esse motivo fugi para Társis. Sabia que és Deus misericordioso e compassivo, lento para se irar e cheio de amor. Estás pronto a voltar atrás e não trazer calamidade. Agora tira minha vida, SENHOR! Para mim é melhor morrer que viver desse modo".

Jonas 4.1-3

Jesus tem o mesmo coração do seu Pai. Certa vez uma mulher cananeia foi até Jesus pedindo um milagre, e inicialmente recebeu uma resposta negativa. Ela foi ousada e, reconhecendo seu lugar, como quem diz: "Sou pó e cinza", insistiu em sua súplica: "Até os cães comem as migalhas que caem da mesa...". E então Jesus se converte ao coração daquela mulher (Mt 15.21-28).

Deus se importa conosco. Quando nos aproximamos de Deus exagerando no atrevimento, Deus nos lembra de que somos pó e cinza. Mas, quando caímos na autocomiseração, quando somos tomados pela sensação de abandono e caímos em desespero como se estivéssemos jogados no mundo e à deriva, ele nos lembra de que podemos ser atrevidos e nos dirigir a ele. Deus sabe o nosso nome e quer ouvir a nossa oração.

A santidade bíblica é esse trânsito entre pó e cinza e atrevimento. Uma tradição dos rabinos de Israel diz que todo judeu deveria andar com duas notas, uma em cada bolso. No bolso esquerdo, carregaria um bilhete com os dizeres: "Por minha causa o universo foi formado". E, no outro bolso, o seguinte lembrete: "Eu não passo de pó e cinza".

A história de Abraão nos remete à revelação da carta aos hebreus, quando o autor bíblico nos recorda que, "por causa do sangue de Jesus, podemos entrar com toda confiança no lugar santíssimo", pois, por sua morte, "Jesus abriu um caminho novo e vivo através da cortina que leva ao lugar santíssimo" (Hb 10.19-20). Eugene Peterson traduz esse trecho de maneira contundente:

> Portanto, amigos, podemos agora, sem hesitação, caminhar direto para Deus, até o "Lugar Santo". Jesus preparou o caminho pelo sangue de seu sacrifício e atua como nosso sacerdote diante de Deus. A "cortina" que dá acesso à presença de Deus é seu corpo.
>
> Então, avante! Cheios de fé, confiantes de que estamos apresentáveis para ele, vamos nos agarrar às promessas que nos fazem prosseguir. Ele sempre mantém sua palavra.
>
> Hebreus 10.19-22, *A Mensagem*

Jesus nos concede a prerrogativa de chegar a Deus com confiança, com ousadia, sem hesitação. "Senhor, eu sou pó e cinza, mas pelo sangue de Jesus e pelo caminho que ele me abriu vou me atrever a dirigir a voz ao Senhor... vou ousar esperar no Senhor... vou me atrever a dizer Eu."

Quando depara com a grandeza da criação e do cosmos, o salmista se questiona: "O que é o homem?". O autor de Hebreus responde a essa pergunta: O homem é Jesus Cristo. Ele que se encarnou no pó. Ele que se diminuiu a ponto de caber na cinza. Ele que encheu esse pó e essa cinza de si mesmo. Deus, em Cristo, se fez um de nós, dando-nos dignidade e grandeza, ressignificando nossa humanidade (Fp 2.5-11).

Deus nos deu essa prerrogativa de sermos atores protagonistas da história. O grande "Eu Sou" veio habitar nesse nada insignificante e impotente. Por causa da encarnação de Jesus e de todas as suas implicações para a família humana, também podemos dizer "Eu". O pó e a cinza cheios do grande "Eu Sou". Deus veio habitar em nós e nos fez parte do que está construindo. Deus, pelo seu Espírito, fez morada em nós (Jo 14. 23; 1Co 3.16; 6.19). Podemos então ser um pó e cinza atrevidos, porque Deus nos concedeu esse lugar de honra e dignidade.

5

CONSTRANGIMENTO

Pois o amor de Cristo nos constrange, porque estamos convencidos de que um morreu por todos; logo, todos morreram. E ele morreu por todos para que aqueles que vivem já não vivam mais para si mesmos, mas para aquele que por eles morreu e ressuscitou.

2Coríntios 5.14-15, NVI

O apóstolo Paulo escreveu duas cartas à igreja de Corinto. A primeira é uma orientação pastoral a respeito de conflitos de relacionamento, disputas de protagonismo e politicagem na comunidade, recomendações acerca de litígios entre irmãos, de relação com cultos pagãos, condutas inadequadas na celebração da eucaristia, abusos das experiências de êxtase espiritual e até mesmo dificuldades quanto à mais fundamental das convicções cristãs: a ressurreição de Jesus Cristo. As recomendações pastorais, firmes e cheias de autoridade, suscitaram críticas e questionamentos a respeito de suas credenciais apostólicas, suspeitas a respeito de suas motivações e diz que diz sugerindo incoerências de sua conduta e conselhos. Isso forçou Paulo a escrever uma segunda carta aos coríntios, agora para fazer a defesa de seu apostolado e de sua autoridade espiritual.

Em resposta aos ataques de adversários inescrupulosos, que ofendiam sua integridade tentando minar sua credibilidade, Paulo se atreve a falar de si. Usa palavras de maneira cuidadosa e usa o recurso narrativo como se estivesse falando de outra pessoa, quando, na verdade, testemunha sobre sua arrebatadora experiência com Deus e a grandeza das revelações que recebeu.

> É necessário prosseguir com meus motivos de orgulho. Mesmo que isso não me sirva de nada, vou lhes falar agora das visões e revelações que recebi do Senhor. Conheço um homem em Cristo que, há catorze anos, foi arrebatado ao terceiro céu. Se foi no corpo ou fora do corpo, não sei; só Deus o sabe. Sim, somente Deus sabe se foi no corpo ou fora do corpo. Mas eu sei que tal homem foi arrebatado ao paraíso e ouviu coisas tão maravilhosas que não podem ser expressas em palavras, coisas que a nenhum homem é permitido relatar.
>
> Da experiência desse homem eu teria razão de me orgulhar, mas não o farei; na verdade, minhas fraquezas são minha única razão de orgulho. Se quisesse me orgulhar, não seria insensato de fazê-lo, pois estaria dizendo a verdade. Mas não o farei, pois não quero que ninguém me dê crédito além do que pode ver em minha vida ou ouvir em minha mensagem.
>
> 2Coríntios 12.1-6

Paulo lamenta estar sendo comparado com outros apóstolos, ou pseudoapóstolos, que haviam se infiltrado na igreja. Insiste na autodefesa com quatro argumentos: não sou inferior a nenhum desses líderes que impressionaram vocês; meu ministério apostólico foi autenticado com sinais, maravilhas e milagres; vocês são um fruto tão qualificado quanto as outras igrejas que organizei; nunca fui pesado, isto é, jamais dependi financeiramente de vocês. O argumento mais impactante, entretanto, é seu renovado compromisso de gastar tudo que possui, inclusive e principalmente a si mesmo, como ato de amor pelos coríntios.

Vocês me obrigaram a agir como insensato. Vocês é que deveriam me elogiar, pois, embora eu nada seja, não sou inferior a esses "superapóstolos". Quando estive com vocês, certamente dei provas de que sou apóstolo, pois com grande paciência realizei sinais, maravilhas e milagres entre vocês. A única coisa que não fiz, e que faço nas outras igrejas, foi me tornar um peso para vocês. Perdoem-me por essa injustiça!

Agora irei visitá-los pela terceira vez e não serei um peso para vocês. Não quero seus bens; quero vocês. Afinal, os filhos não ajuntam riquezas para os pais. Ao contrário, são os pais que ajuntam riquezas para os filhos. Por vocês, de boa vontade me desgastarei e gastarei tudo que tenho, embora pareça que, quanto mais eu os ame, menos vocês me amam.

2Coríntios 12.11-15

As motivações de Paulo estavam sendo questionadas. Os coríntios queriam saber por que ele se dedicava tanto à causa do evangelho. Que interesses ocultos haveria em uma vida que se gastava e se consumia em serviço abnegado? Por que trabalhava tão intensa e incansavelmente, e por que se recusava a receber qualquer recurso financeiro em troca de seu trabalho? "O amor de Cristo me constrange" (2Co 5.14, NVI). Essa era a resposta contundente do apóstolo Paulo. O amor de Cristo e o amor a Cristo: "Tudo o que faço, faço não apenas por amor a vocês, mas principalmente por amor a Cristo. O que me move é o amor de Cristo em mim".

A vida de Paulo se explica por uma profunda experiência com o amor de Cristo. Mais do que uma motivação para ser apóstolo ou exercer sua liderança entre as igrejas cristãs nascentes, o amor de Cristo e o amor a Cristo eram na verdade o fundamento de sua própria existência. Inundado do amor de Cristo, responde amando. Impactado pelo amor de Cristo, abre mão de si mesmo, renuncia a viver para si, e se entrega radical e sacrificialmente a servir a Cristo. Constrangimento, essa era a explicação para uma vida absolutamente dedicada a Cristo.

Corria o ano de 1981 e eu cursava meu primeiro ano de estudos teológicos na Faculdade Teológica Batista de São Paulo. O professor de grego costumava iniciar as aulas com uma leitura bíblica, que comentava como fonte de inspiração e devoção aos seus alunos. E lá estava eu, com pouco mais de 17 anos, quando ele leu esses versículos de Paulo aos coríntios. Naqueles poucos minutos de despretensiosa meditação, meus olhos foram abertos para a compreensão do que realmente significa ser de Jesus. Naquela noite o "ser crente" ganhou um sentido mais profundo, palpável e desafiador. Naquele instante entendi que ser de Jesus é deixar de viver para si mesmo e viver para ele. Jesus por nós morreu e ressuscitou. Jesus nos incluiu em sua morte e também em sua ressurreição. Esse é o sentido de "estar em Cristo", expressão muito própria do apóstolo Paulo. Estar em Cristo é participar de sua morte e de sua ressurreição. Estar em Cristo é estar morto para si e vivo para Cristo. "Se um morreu por todos, todos morreram", insiste o apóstolo. Jesus Cristo "morreu por todos para que aqueles que vivem já não vivam mais para si mesmos, mas para aquele que por eles morreu e ressuscitou", conclui. Ser de Jesus é deixar de viver para si e passar a viver para servi-lo, para realizar sua vontade. É viver para imitar a Jesus. É viver para, com e em Jesus.

A conversão a Cristo é um grande mistério. É intrigante observar que algumas pessoas se encantam com Jesus e com o evangelho rapidamente, enquanto outras levam anos para render-se a Cristo. Os religiosos proselitistas se ocupam em tentar descobrir as melhores estratégias e argumentos para "ganhar almas para Jesus". Muitas pessoas acreditam que a conversão é uma experiência com a verdade, como se o encontro com Deus resultasse da crença e do convencimento de que o evangelho é a verdade. Mas, como sabemos, o próprio apóstolo Paulo testemunhou conhecer a verdade, ter recebido muitas revelações a respeito da verdade. Ele comentou sobre ter sido arrebatado ao terceiro céu e ter visto e ouvido coisas indizíveis. Paulo tinha conhecimento da verdade, tinha visto o céu descortinado diante dele. Mas não foi a verdade que o convenceu a se entregar como um sacrifício vivo a Cristo. Não é a verdade a respeito do mundo espiritual que cativa, constrange e arrebata o coração a ponto de alguém deixar de viver para si mesmo e passar a viver para Cristo.

Existem também aqueles que pensam que uma pessoa se entregará totalmente a Cristo depois de ter uma experiência com o poder de Deus, como, por exemplo, ser agraciada com um milagre. O senso comum sugere que as manifestações do poder de Deus são suficientes para que uma pessoa se renda à fé. Mas a Escritura Sagrada é cheia de exemplos de pessoas que viram, testemunharam, experimentaram o poder de Deus e nem assim se entregaram radicalmente a Deus. As páginas bíblicas são repletas de histórias de pessoas que foram abençoadas e beneficiadas por um milagre, mas nem por isso deixaram tudo para seguir a Jesus. É bem conhecida a história daqueles dez leprosos curados por Jesus. O corpo daqueles homens estava se desmanchando, carcomido pela lepra, mas Jesus os curou de forma miraculosa. Todos os dez foram curados, mas apenas um voltou para se prostrar aos pés de Jesus, louvando a Deus (Lc 17.11-19). O poder espiritual gera assombro, admiração, estupefação. Mas não necessariamente gera sacrifício, renúncia, entrega, doação. Não é a manifestação do poder de Deus nem o milagre de Jesus que constrange o coração humano e o leva ao chão em adoração, abnegação e entrega total.

Existem também aqueles que acreditam que a motivação para a vida dedicada a Cristo é a consciência das regras claras e a certeza da punição e do castigo para os transgressores. Esses são os que baseiam sua prática religiosa na régua moral. Defendem que a santidade e a piedade são motivadas pelo temor a Deus, mas acabam por confundir temor com medo. Acontece que o medo da punição de Deus não cativa, nem mobiliza a vontade humana para o serviço abnegado e a dedicação altruísta. O apóstolo João esclareceu isso de maneira inequívoca quando nos ensinou:

À medida que permanecemos em Deus, nosso amor se torna mais perfeito. Assim, teremos confiança no dia do julgamento, pois vivemos como Jesus viveu neste mundo.

Esse amor não tem medo, pois o perfeito amor afasta todo medo. Se temos medo, é porque tememos o castigo, e isso mostra que ainda não experimentamos plenamente o amor. Nós amamos porque ele nos amou primeiro.

1João 4.17-19

Somente a experiência do amor de Cristo gera o fruto da santidade. É o amor de Cristo que constrange o coração humano, não suas ameaças, não suas verdades, não seu poder. Apenas o seu amor. Naquela mesma aula em que compreendi pela primeira vez essas revelações do evangelho, aprendi também o significado de ser constrangido. Meu professor de grego nos lembrou da carta de Paulo a Filemom. Essa carta conta a história de Onésimo, um escravo fugitivo que Paulo conheceu enquanto esteve preso em Roma. Depois de ouvir o evangelho e conhecer o amor de Jesus Cristo, Onésimo é aconselhado pelo apóstolo Paulo a voltar e se entregar a Filemom, seu senhor de escravos, coincidentemente outro discípulo de Paulo e também seguidor de Jesus Cristo.

Na época, se um escravo fugisse e fosse capturado, certamente seria açoitado e provavelmente morto para servir de exemplo para os outros. Paulo, entretanto, escreve uma carta e a entrega ao escravo Onésimo a fim de que ele a leve pessoalmente ao seu senhor, Filemom. A carta dizia o seguinte:

Na condição de embaixador de Cristo e agora prisioneiro por causa dele, eu não hesitaria em ordenar, se fosse necessário, mas prefiro fazer um pedido pessoal.

Aqui na prisão, adotei um filho, digamos assim. E aí está ele, entregando pessoalmente esta carta — Onésimo! Antes, ele era inútil para você; agora é útil para nós dois. Eu o estou enviando de volta a você, mas com isso me sinto como se tivesse amputado um braço. Eu queria mantê-lo aqui, enquanto você se esforça para ajudar aí livre, e eu, aqui de dentro, preso por causa da Mensagem. Mas eu não quis fazer nada sem o seu conhecimento nem obrigá-lo a praticar uma boa ação sem estar disposto a praticá-la.

Talvez tenha sido melhor que você o perdesse por um tempo. Você o está recuperando agora com uma vantagem — não como simples escravo, mas como verdadeiro irmão em Cristo! Foi o que ele significou para mim e será muito mais para você!

Portanto, se você ainda me considera um companheiro, receba-o de volta como se recebesse a mim. Se ele estragou algo ou deve alguma coisa a você, ponha na minha conta. Esta é minha assinatura pessoal — Paulo. Assumo essa dívida (não preciso lembrar que você me deve a vida, preciso?). Amigo, faça-me esse grande favor. Você fará isso para Cristo, mas também fará bem ao meu coração.

Filemom 1.8-20, A Mensagem

Paulo interpela Filemom fundamentando seu pedido na amizade que os unia: "Somos amigos há muitos anos. Se você ainda me considera seu amigo, ou mesmo se você é meu amigo de verdade, peço que receba Onésimo não mais como seu escravo fugitivo, mas como um irmão, que o receba como se estivesse recebendo a mim mesmo. Você tem o direito de açoitar Onésimo, seu escravo fugitivo, para que sirva de exemplo para outros escravos. Mas, se você o fizer, estará negando nossa amizade e jogando fora nossa história e comunhão em Cristo". Isso significa constranger.

Filemom recebe de um amigo um pedido que não pode ser recusado. Além da amizade, Paulo apresenta um argumento irrefutável: "você me deve a vida". A afirmação "o amor de Cristo constrange" segue a mesma lógica. Paulo testemunha também ser incapaz de dizer não ao amor de Cristo. Da mesma forma que Filemom estaria negando sua amizade caso se recusasse a atender ao pedido de Paulo, também Paulo acredita que a recusa em dedicar a vida a servir a Cristo é uma negação do seu amor. Simples assim: quem experimenta o amor de Jesus Cristo não tem outra opção senão deixar de viver para si mesmo e passar a viver para Cristo. "Quando descobri que Jesus Cristo morreu e ressuscitou em meu favor e num ato de amor por mim, meu coração se inclinou na mesma direção: também decidi morrer para mim mesmo, a fim de viver para Cristo", diz o apóstolo Paulo. A santidade é uma experiência de amor. O amor de Cristo gerando amor por Cristo.

A Bíblia nos conta a história de uma mulher que derramou sobre Jesus um perfume que lhe custou um ano inteiro de salário. Os pragmáticos criticaram, dizendo tratar-se de uma entrega exagerada, uma homenagem desproporcional, uma demonstração de amor exorbitante e desnecessária. Jesus os repreendeu, lembrando-os de que muito ama quem muito foi perdoado (Lc 7.36-50).

Quanto mais nos sentimos amados, maior a nossa disposição de nos doar em resposta. Viver para Cristo, por Cristo, para fazer a vontade de Cristo e servir aos seus propósitos são vivências proporcionais à experiência do seu amor: quem muito se sente amado muito ama. A santidade é uma resposta ao tanto que experimentamos do amor que Cristo tem por nós.

Paulo, apóstolo, diz que a morte de Jesus Cristo é uma extraordinária e inigualável expressão de amor:

> É pouco provável que alguém morresse por um justo, embora talvez alguém se dispusesse a morrer por uma pessoa boa. Mas Deus nos prova seu grande amor ao enviar Cristo para morrer por nós quando ainda éramos pecadores.
>
> Romanos 5.7-8

O amor de Cristo derramado em nosso coração pelo Espírito Santo (Rm 5.5) é a legítima motivação para a nossa vida de santidade. A experiência do amor de Cristo nos liberta do peso da culpa, do medo do castigo e da necessidade de conquistar o favor de Deus. Livres para viver, somos livres também para servir. Livres para fazer nossa própria vontade, escolhemos ofertar nossa liberdade de volta a Jesus Cristo, que nos libertou.

A vida de santidade somente faz sentido quando acontece na dinâmica do amor. Viver para Deus a partir de qualquer outra motivação que não seja o amor é não apenas um peso insuportável como também um sacrifício inútil.

> Se eu falasse as línguas dos homens e dos anjos, mas não tivesse amor, seria como um sino que ressoa ou um címbalo que retine. Se eu tivesse o dom de profecias, se entendesse todos os mistérios de Deus e tivesse todo o conhecimento, e se tivesse uma fé que me permitisse mover montanhas, mas não tivesse amor, eu nada seria. Se desse tudo que tenho aos pobres e até entregasse meu corpo para ser queimado, e não tivesse amor, de nada me adiantaria.
>
> 1Coríntios 13.1-3

6

TRIVIALIDADE

Portanto, quer vocês comam, quer bebam, quer façam
qualquer outra coisa, façam para a glória de Deus.
1Coríntios 10.31

Santidade é diferente de religiosidade. Na verdade, a santidade é a libertação e a superação da religiosidade.
Eis o que escreveu o sociólogo Émile Durkheim:

> Todas as crenças religiosas conhecidas, sejam simples ou
> complexas, apresentam um mesmo caráter comum: supõem uma classificação das coisas em duas classes, em
> dois gêneros opostos, designados geralmente por dois
> termos distintos que as palavras *sagrado* e *profano* traduzem bastante bem. A divisão do mundo em dois domínios
> que compreendem, um, tudo o que é sagrado, outro, tudo
> o que é profano, tal é o traço distintivo do pensamento
> religioso.*

Durkheim considera que entre as coisas sagradas estão
incluídos ritos, crenças, seres, assim como lugares, objetos,
palavras e gestos. Pessoas, espíritos e até mesmo animais
podem ser considerados sagrados. Uma casa, um rochedo,

---

* Émile Durkheim, *As formas elementares da vida religiosa* (São Paulo:
Martins Fontes, 1996), p. 19-20.

uma fonte de água ou os astros do céu também podem estar na lista das coisas sagradas. Algumas palavras e fórmulas verbais que devem ser pronunciadas em ocasiões especiais e somente por pessoas autorizadas compõem esse universo que as tradições religiosas classificam como sagradas. A pessoa religiosa tende a enxergar tudo o que existe a partir da dualidade sagrado e profano. As coisas profanas não são necessariamente associadas ao ruim, sujo, tenebroso ou diabólico, mas apenas consideradas naturais, sem nenhuma manifestação ou relação com o sagrado ou o mundo espiritual. No pensamento religioso, existem tempos sagrados e tempos profanos; lugares sagrados e lugares profanos; pessoas sagradas e pessoas profanas; objetos sagrados e objetos profanos; atividades sagradas e atividades profanas. Sagrado é tudo aquilo que tem ligação direta com Deus, e até o que pode representar ou atrair Deus. Profano, por sua vez, é tudo quanto faz parte do mundo comum, ordinário, acessível a todo mundo o tempo todo. A estrutura religiosa divide o mundo, a vida e a realidade em duas partes: sagrado e profano. Aquilo que tem a ver com Deus e aquilo que não tem a ver com Deus. Isso vale para quase todas as religiões e também, e especialmente, para a tradição bíblica.

Na tradição de Israel a vida religiosa estava alicerçada em quatro elementos fundamentais: o sábado, o templo, os sacrifícios e os sacerdotes. Esses eram os quatro elementos estruturantes da religião de Israel. Imagine, por exemplo, que alguém tem um rebanho de ovelhas e que todas elas são comuns, isto é, profanas. Mas aquela ovelha separada para ser sacrificada a Deus deixa de ser profana para tornar-se sagrada. A ovelha é excluída do uso comum e, assim, incluída no sagrado. Ou então pense que todos os dias são comuns, exceto o *shabbat*, que é separado para Deus, isto é, consagrado, compreendido como sagrado. Toda a nação de Israel é povo de Deus, mas os levitas e os sacerdotes são pessoas especiais, separadas para o ofício do culto, no templo — pessoas, atividade e lugar sagrados. Assim pensa a mente religiosa. Não que Deus tenha pensado ou idealizado o mundo dessa maneira. Esses conceitos de sagrado e profano não estão na Bíblia Sagrada. A Bíblia nos apresenta o conceito de santidade. Essa separação do mundo entre sagrado e profano são próprias da religião, e não da santidade. Os sábios de Israel sempre souberam disso. Eles nunca pensaram em termos de sagrado *versus* profano. Toda a tradição de Israel está baseada no conceito de santidade, que é algo completamente diferente. O apóstolo Paulo, como legítimo judeu, criado e educado nas mais profundas tradições das escolas rabínicas de seu tempo, foi usado por Deus para revelar a santidade como fundamento do evangelho de Jesus Cristo.

A cidade de Corinto vivia imersa na mentalidade religiosa pagã. Nos cultos pagãos, os religiosos sacrificavam animais aos ídolos e aos deuses. Ao final dos rituais cúlticos, como sobrava muita carne dos sacrifícios, eles pensaram em vendê-la no mercado. A carne dos animais passava por um processo religioso de sagrado e profano. Primeiro era excluída do uso comum e separada para o sacrifício aos ídolos. Nesse momento a carne deixava de ser profana, uso comum, e passava a ser consagrada, uso religioso. A carne não usada nos sacrifícios era devolvida aos mercados, uso comum, e deixava de ser sagrada, voltando assim ao mundo profano. As pessoas compravam no mercado a carne que nos dias anteriores havia sido consagrada nos templos pagãos.

Os cristãos de Corinto passaram então a discutir e debater se poderiam comprar e consumir aquela carne. O que fazer com a carne oferecida a um ídolo? Ela é sagrada ou profana? É para uso comum ou deve ser consumida apenas em momento de culto? Qualquer pessoa pode comer ou somente os cultuadores do ídolo ou seus sacerdotes? As perguntas se justificam porque tudo o que é consagrado está sob interditos, e deve ser manuseado e usado segundo regras rigorosas. O que é sagrado não pode ser profanado, sob risco de penalidades e retaliações dos ídolos. As coisas consagradas aos deuses pertencem aos deuses e devem ser tocadas e usadas conforme seus mandamentos e caprichos.

Exatamente para solucionar essas dúvidas e resolver esses dilemas daqueles cristãos o apóstolo Paulo dedica praticamente três capítulos de sua primeira carta aos coríntios. Suas palavras são libertadoras.

Então, o que dizer quanto ao alimento oferecido a ídolos? Bem, todos nós sabemos que, na verdade, o ídolo nada vale neste mundo, e que há somente um Deus. Sim, é fato que existem os que são chamados de deuses, por assim dizer, nos céus e na terra, e há pessoas que adoram muitos deuses e muitos senhores. Para nós, porém,

Há somente um Deus, o Pai,
    por meio de quem todas as coisas foram criadas
e para quem vivemos.
    E há somente um Senhor, Jesus Cristo,
por meio de quem todas as coisas foram criadas
    e por meio de quem recebemos vida.

No entanto, nem todos sabem disso. Alguns estão acostumados a pensar que os ídolos são de verdade, de modo que, ao comer alimentos oferecidos a eles, imaginam que estão adorando deuses de verdade, e sua consciência fraca é contaminada. Não obtemos a aprovação de Deus pelo que comemos. Não perdemos nada se não comemos, e se comemos, nada ganhamos. Contudo, tenham cuidado para que sua liberdade não leve outros de consciência mais fraca a tropeçarem. Pois, se alguém vir você, que diz ter um conhecimento superior, comer no templo de um ídolo, acaso não será induzido a contaminar a própria consciência ao ingerir alimentos oferecidos a ídolos? Assim, por causa do seu conhecimento superior, um irmão fraco pelo qual Cristo morreu acaba se perdendo. E quando vocês pecam contra outros irmãos, incentivando-os a fazer algo que eles consideram errado, pecam contra Cristo. Portanto, se aquilo que eu como faz um irmão pecar, nunca mais comerei carne, pois não quero fazer meu irmão tropeçar.

1Coríntios 8.4-13

O apóstolo diz que os ídolos são nada e, portanto, comer ou deixar de comer a carne a eles sacrificada não apresenta nenhuma consequência.* Aquilo que não existe, que nada é, não tem poder de amaldiçoar. Mas será que o ato de comer a carne sacrificada aos ídolos ofende a Deus?

* É importante distinguir o ato de comer a carne outrora sacrificada aos ídolos e agora disponível para venda no mercado do ato de comer carne como culto aos ídolos. Em 1Coríntios 10.16-21, o apóstolo condena aqueles que participam da mesa dos ídolos e nesse caso lhes prestam cultos, ou mais precisamente aos demônios que deles se utilizam para enganar e abusar dos que os ignoram ou são displicentes ou incrédulos quanto à sua capacidade de fazer o mal.

O apóstolo responde dizendo que comer ou deixar de comer não nos aproxima nem nos afasta de Deus. Finalmente, adverte quanto ao uso da liberdade, afirmando que devemos respeitar as crenças das pessoas, ainda que sejam despropositadas e inconsistentes. Mas o grande argumento do apóstolo Paulo é sua recomendação, que se torna também uma declaração de fé e *modus vivendi*.

> Por que serei eu condenado se comer algo pelo qual dei graças a Deus? Portanto, quer vocês comam, quer bebam, quer façam qualquer outra coisa, façam para a glória de Deus.
>
> 1Coríntios 10.30-31

Por trás de sua recomendação existe uma extraordinária revelação a respeito do evangelho como superação da religião, da lógica religiosa e da religiosidade. O apóstolo Paulo ensina que a mentalidade religiosa divide todas as coisas na dualidade sagrado e profano. A santidade, por sua vez, não fraciona o mundo, o tempo e a vida. A santidade desconhece pessoas, dias, lugares, objetos e atividades especiais à parte do todo da realidade. A santidade é integral, da ordem da totalidade. Ela não separa coisas entre sagradas e profanas. A santidade considera tudo santo, isto é, pertencente a Deus, existente sob o domínio de Deus — pois "do Senhor é a terra e tudo que nela há" (1Co 10.26). Por essa razão devemos dar graças a Deus por tudo, ou seja, referir a Deus, vincular a Deus, reconhecer a procedência divina ou devolver ao domínio divino.

Já em outras ocasiões o apóstolo Paulo expressou essa sua convicção. Escrevendo aos cristãos de Roma, declarou solenemente que todas as coisas pertencem a Deus, procedem de Deus, são sustentadas na existência e pelo favor de Deus, e devem, portanto, ser usadas, experimentadas e desfrutadas na presença de Deus, como adoração a Deus: "Pois todas as coisas vêm dele, existem por meio dele e são para ele" (Rm 11.36). Foi essa também a orientação que ofereceu ao seu discípulo Timóteo, jovem pastor da igreja de Éfeso, para corrigir aqueles que fracionavam o mundo e as coisas entre sagrado e profano.

O Espírito afirma claramente que nos últimos tempos alguns se desviarão da fé, dando ouvidos a espíritos enganadores e a ensinamentos de demônios, que vêm de indivíduos hipócritas e mentirosos, cuja consciência está morta.

Tais pessoas afirmam que é errado se casar e proíbem que se comam certos alimentos, que Deus criou para serem recebidos com ação de graças pelos que são fiéis e conhecedores da verdade. Porque tudo que Deus fez é bom, não devemos rejeitar nada, mas a tudo receber com ação de graças, pois sabemos que se torna aceitável pela palavra de Deus e pela oração.

1Timóteo 4.1-5

A santidade é a superação da dualidade sagrado *versus* profano. Para aqueles que têm consciência de estar diante do Deus Santo, Santo, Santo, a realidade não está dividida entre o que está relacionado diretamente a ele e o que não está. Quem está na consciência da santidade relaciona tudo a Deus — todo tempo, todo lugar, todas as coisas, todas as atividades, todas as pessoas. Para quem vive na esfera da santidade, nada é dividido, tudo está integrado sob a autoridade e a bênção de Deus. A santidade é da ordem da totalidade.

A segunda-feira é sagrada ou profana? É santa! O seu trabalho é sagrado ou profano? É santo! A sua família é sagrada ou profana? É santa! Tudo é santo quando vivemos na presença do Deus que é Santíssimo.

Somente segundo a lógica sistêmica da santidade a expressão "qualquer outra coisa" usada pelo apóstolo Paulo faz sentido: "Quer vocês comam, quer bebam, quer façam qualquer outra coisa, façam para a glória de Deus". Grife a expressão para que você não se esqueça dela: *qualquer outra coisa*. Este é o segredo da santidade: referir todo tempo, todo lugar, tudo o que se faz a Deus. A santidade implica a participação de Deus em tudo o que você toca ou mexe, todas as coisas que você faz, com todas as pessoas com quem se relaciona. Tudo é santo quando está na esfera da santidade, isto é, quando foi santificado.

Quando vivemos em santidade, não diminuímos o mundo. A terra inteira é de Deus. Nada pode ser usurpado, nada pode ser retirado do acesso daqueles que estão diante do Deus Santo, Santo, Santo. Nenhum lugar, nenhum tempo, nenhuma atividade, nada! Nada está fora do olhar, do cuidado e da bênção de Deus, nosso Pai, quando é feito para a glória dele.

Paulo repete isto aos cristãos de Colossos: "E tudo que fizerem ou disserem, façam em nome do Senhor Jesus, dando graças a Deus, o Pai, por meio dele" (Cl 3.17). Façam tudo com ações de graças, recebam tudo com gratidão, deixem Deus participar da totalidade da vida de vocês. Isso é viver em santidade.

Quando comecei a ensinar essas coisas, mais ou menos no início da década de 1990, lembro que usei um exemplo que causou incômodos. Naquela ocasião eu disse que a reunião de oração é santa, mas a caminhada no parque também é. O culto de domingo é santo, mas comer *pizza* com os amigos também é uma experiência de santidade. Algumas pessoas me procuraram, dizendo: "Ah pastor, agora você acabou com a reunião de oração", ao que respondi: "Nada disso, meu irmão, eu santifiquei a rodada de *pizza*!".

A mentalidade religiosa considera a reunião de oração sagrada e a rodada de *pizza* com os amigos profana. Pensa que no culto intercedemos, cantamos louvores, meditamos na palavra de Deus, aconselhamos em sabedoria, enquanto na reunião da *pizza* somos maledicentes, fazemos fofoca, criticamos, julgamos e condenamos deus e o mundo. Essa é uma grande evidência da falta de consciência de santidade. Deus está em todos os lugares, em todas as coisas e em todos os momentos. A santidade é da ordem da totalidade.

A religiosidade tem dia, hora e lugar para acontecer. E também está restrita a certos tipos de atividades, quase sempre relacionadas a alguma coisa envolvida com louvor, oração e pregação bíblica. Religiosidade acontece quando estamos de alguma forma falando com Deus ou falando de Deus, isto é, quando estamos em ato de culto ou em missão proselitista, evangelizando ou fazendo caridade. A santidade, por sua vez, abrange a totalidade da vida. A santidade é o *modus operandi* de quem vive na presença de Deus, e faz tudo para sua glória: do culto ao WhatsApp, do louvor ao *business*, da evangelização ao lazer, do ministério ao ócio. A santidade sempre se pergunta: Isso glorifica a Deus? Ou, mais precisamente, a respeito de tudo se pergunta: Como posso fazer isso de modo a glorificar a Deus? A santidade se pergunta: Isso aproxima as pessoas de Deus? Ou ainda: Como posso fazer isso de modo a aproximar as pessoas de Deus? A santidade não é "o quê", "quando", "quem", "onde". A santidade é "como". Todo mundo fazendo tudo, em todo lugar, todo o tempo para a glória de Deus. Isso é santidade. A santidade tem a ver com qualquer coisa. E com todas as coisas. Tem a ver com comprar sorvete, passear no parque com a namorada, trabalhar, ver televisão, conversar e postar fotos no Instagram. Santidade é isso. É a vida toda relacionada diretamente com Deus. Não há um momento da nossa vida, por mais corriqueiro, por mais trivial, em que Deus não queira estar conosco e compartilhar conosco sua presença. Não há um instante em que ele não queira nos dar a graça de sua companhia.

Sair da esfera da religiosidade para a esfera da santidade é um desafio que o evangelho nos traz. É mais fácil viver a vida religiosa que a vida santa. A vida religiosa é performática, ensaiada, pública. Tem hora para começar e acabar, tem dia certo, tem atividades definidas. A vida religiosa é fracionada. Já a vida santa é tudo, o tempo todo, em todo lugar, em tudo o que fazemos.

A religiosidade é da ordem do espetáculo. A santidade é da ordem da trivialidade: comer, beber ou fazer qualquer outra coisa. A santidade é a vida onde qualquer coisa tem a ver com Deus. Por isso mesmo a santidade é a vida de quem todas as coisas são vividas na presença de Deus, para a glória de Deus. Tudo, em todo tempo, em todo lugar.

7
QUEBRANTAMENTO

Tem misericórdia de mim, ó Deus,
   por causa do teu amor.
Por causa da tua grande compaixão,
   apaga as manchas de minha rebeldia.
Lava-me de toda a minha culpa,
   purifica-me do meu pecado.
Pois reconheço minha rebeldia;
   meu pecado me persegue todo o tempo.
Pequei contra ti, somente contra ti;
   fiz o que é mau aos teus olhos.
Por isso, tens razão no que dizes,
   e é justo teu julgamento contra mim.
Pois sou pecador desde que nasci,
   sim, desde que minha mãe me concebeu.
Tu, porém, desejas a verdade no íntimo
   e no coração me mostras a sabedoria.

Salmos 51.1-6

O rei Davi é o maior escândalo da santidade bíblica. O homem segundo o coração de Deus é ao mesmo tempo adúltero e assassino. Em Davi encontramos o mais sublime que a alma humana pode alcançar quando ele se entrega ao mais puro afeto pelo divino, e também encontramos a mais rude bestialidade do ser humano, que o aproxima de um animal possuído pelo desejo. Sua intimidade com Deus e a profundidade do seu pecado gritam nas páginas das Escrituras Sagradas como o mais iluminado dos mapas que demarcam as trilhas da santidade.

A santidade bíblica não se revela nas páginas da retidão moral. Ali quase sempre se desvelam a hipocrisia e a crueldade dos legalistas, que pretendem impor seus padrões de comportamento como fardos pesados sobre os ombros alheios, quando eles próprios não se ocupam minimamente de igual compromisso. As palavras mais duras de Jesus foram dirigidas àqueles que se consideravam justos e confiavam na própria justiça: os fariseus e especialistas na Lei de Moisés, geralmente identificados como hipócritas e desmascarados como falsos mestres. "Sepulcros caiados", "raça de víboras" e "guias cegos" foram algumas expressões usadas por Jesus para aqueles que confundiram santidade com comportamento moral.

A santidade bíblica é revelada no encontro do pecador quebrantado com aquilo que o Antigo Testamento chama de misericórdia e o Novo Testamento, de graça. A tradição espiritual judaico-cristã jamais considerou entre os mais íntimos de Deus aqueles percebidos como perfeitos pela conduta e pelo comportamento. Perfectibilidade moral jamais foi critério ou sinônimo de santidade, pelo simples fato de que tal perfeição não existe. Desde Abraão, passando por Moisés e Elias, até chegarmos a Davi, os homens que mais se aproximaram da intimidade dos céus eram "vasos de barro", expressão cunhada por Paulo, apóstolo, outro que, embora gigante da fé, considerava-se o principal entre os pecadores (1Tm 1.15). Os íntimos de Deus jamais confiaram na própria virtude, pois sempre souberam que o sustentáculo da vida humana é a misericórdia de Deus, que dura para sempre (Sl 136). Desconfiar dos que se consideram virtuosos, entretanto, é uma das sabedorias da espiritualidade bíblica. Deus nos livre da crueldade das pessoas que se julgam justas.

A trágica falha de Davi começa numa tarde ensolarada, quando o exército de Israel estava nos campos de batalha e seu rei a espreguiçar-se na sacada do palácio, de onde enxergou uma mulher que se banhava no jardim.

No começo do ano, época em que os reis costumavam ir à guerra, Davi enviou Joabe e as tropas israelitas para lutarem contra os amonitas. Eles destruíram o exército inimigo e cercaram a cidade de Rabá. Mas Davi ficou em Jerusalém.

Certa tarde, Davi se levantou da cama depois de seu descanso e foi caminhar pelo terraço do palácio. Enquanto olhava do terraço, reparou numa mulher muito bonita que tomava banho. Davi mandou alguém para descobrir quem era a mulher. Disseram-lhe: "É Bate-Seba, filha de Eliã e esposa de Urias, o hitita". Então Davi enviou mensageiros para que a trouxessem, e teve relações com ela. Bate-Seba havia acabado de completar o ritual de purificação depois da menstruação. E ela voltou para casa. Passado algum tempo, quando Bate-Seba descobriu que estava grávida, enviou um mensageiro a Davi para lhe dizer: "Estou grávida".

2Samuel 11.1-5

O roteiro da tragédia é simples e nada criativo: ver, desejar e possuir. O desejo é divino. Mas nem sempre é bom conselheiro. Tiago, apóstolo, deve ter pensado nisso quando escreveu a respeito do mecanismo da tentação.

> E, quando vocês forem tentados, não digam: "Esta tentação vem de Deus", pois Deus nunca é tentado a fazer o mal, e ele mesmo nunca tenta alguém. A tentação vem de nossos próprios desejos, que nos seduzem e nos arrastam. Esses desejos dão à luz o pecado, e quando o pecado se desenvolve plenamente, gera a morte.
>
> Tiago 1.13-15

Perfeitamente natural o desejo do rei por uma bela mulher. Absolutamente inaceitável o abuso de poder que manda buscar "a mulher de Urias" como quem solicita por aplicativo a entrega rápida de uma mercadoria. Desejar é diferente de cobiçar. O desejo é natural, a cobiça é pecado. Está no Decálogo: "Não cobice a casa do seu próximo. Não cobice a mulher dele, nem seus servos ou servas, nem seu boi ou jumento, nem qualquer outra coisa que lhe pertença" (Êx 20.17).

Sabendo da gravidez, o rei Davi tenta remediar a situação, e a pretexto de receber notícias a respeito da guerra, chama ao palácio o marido, Urias, soldado valente que estava no campo de batalha. O rei imaginou que numa breve visita à casa, antes de regressar ao campo de batalha, Urias faria sexo com a esposa e no futuro acreditaria ser o pai da criança. Mas o soldado se recusa a pousar em casa e dorme na porta do palácio, no aposento reservado aos militares. O rei insiste, mas Urias diz:

> A arca e os exércitos de Israel e de Judá estão em tendas, e Joabe, meu comandante, e seus soldados estão acampados

ao ar livre. Como eu poderia ir para casa para beber, comer e dormir com minha mulher? Juro diante do rei que jamais faria uma coisa dessas.

2Samuel 11.11

O rei usa outra estratégia: Davi convida Urias para comer e beber, e o embriaga. À tarde, porém, Urias vai dormir em sua esteira, onde os guardas de seu senhor dormiam, e não vai para casa (2Sm 11.13). Não restava muita alternativa para o rei senão devolver o soldado para o campo de batalha. Mas, antes disso, Davi coloca em suas mãos um bilhete endereçado a Joabe, o comandante do exército de Israel, dizendo o seguinte: "Coloque Urias na linha de frente, onde o combate estiver mais intenso. Depois, recue para que ele seja morto" (2Sm 11.15). Quando a mulher de Urias soube que seu marido havia morrido, chorou por ele. Passado o luto, Davi mandou que a trouxessem para o palácio; ela se tornou sua mulher e teve um filho dele. Mas a narrativa bíblica reserva uma nota para todo o ocorrido: "O que Davi fez desagradou o Senhor" (2Sm 11.27). Deus, então, envia o profeta Natã para confrontar o rei com a seguinte história:

Havia dois homens em certa cidade. Um era rico, e o outro, pobre. O rico era dono de muitas ovelhas e muito gado. O pobre não tinha nada, exceto uma cordeirinha que ele havia comprado. Ele criou a cordeirinha, e ela cresceu com os filhos dele. Comia de seu prato, bebia de seu copo e até dormia em seus braços; ela era como sua filha. Certo dia, um visitante chegou à casa do rico. Em vez de matar um dos animais de seu próprio rebanho, o rico tomou a cordeirinha do pobre, a matou e a preparou para seu visitante.

2Samuel 12.1-4

Antes mesmo que Natã terminasse de contar essa parábola, Davi, furioso, disse ao profeta: "Tão certo como vive o SENHOR, o homem que faz uma coisa dessas merece morrer! Deve restituir quatro ovelhas ao pobre por ter roubado a cordeirinha e não ter mostrado compaixão". Ao que Natã respondeu: "Você é esse homem!" (2Sm 12.5-7). Assim nasceu o salmo 51, em que o rei Davi derrama seu coração diante de Deus em arrependimento e confissão. Davi carrega um fardo pesado de pecados: assédio, adultério, abuso de poder e assassinato, pelo menos. Em sua oração, clama a Deus dizendo: "Lava-me de toda a minha culpa, purifica-me do meu pecado" (Sl 51.2). De fato, suas mãos estão sujas de sangue, o sangue de Urias, um homem inocente.

Davi é identificado na Bíblia Sagrada como um "homem segundo o coração de Deus" (1Sm 13.14; At 13.22). Um ditado em Israel diz que Davi é "o homem que tem o coração no lugar certo". Mas isso não o deixa imune às possibilidades do pecado. Mesmo as pessoas que conhecem a Deus e cultivam uma vida espiritual com profundidade e integridade estão suscetíveis a se envolver em ações autodestrutivas e destruidoras, a praticar crimes hediondos. Todos somos passíveis da alienação e do autoengano. Por razões diversas e através de processos complexos nós nos desconectamos da realidade. Entramos em um mundo paralelo e passamos a agir de maneira a contrariar nossa moral, nossos valores e padrões de comportamento. As pessoas que nos conhecem percebem nossa sutil mudança, mas estamos cegos a respeito de nós mesmos, desenvolvendo raciocínios e argumentações que justifiquem nosso comportamento desviante e desviado.

Ao ser confrontado pelo profeta Natã com a parábola do anfitrião rico que usurpa o direito do vizinho pobre, o rei Davi não consegue enxergar que ele mesmo é o protagonista da história. Davi está num ponto cego a respeito de si mesmo. Imerso no pecado e ainda assim acreditando que tudo está dentro da normalidade. Sua alienação é de tal monta que acredita não haver consequências para seus crimes e suas crueldades.

Todos somos habitados por forças que, se não forem mantidas sob controle, despertarão monstros que nos levarão a fazer coisas que não faríamos em juízo perfeito. Arrebatados pelo desejo, possuídos pelos objetos de desejo, perdemos a razão, o senso e a lucidez, e passamos a caminhar na sombra e na escuridão, tropeçando e fazendo tropeçar. Os monstros, quando acordam, assumem o controle de nossas faculdades mentais, emocionais e volitivas. Nossos pensamentos e julgamentos se obscurecem, nossos sentimentos se embaralham e nossa vontade se torna cativa dos apetites mais primitivos. Acreditamos estar no controle, dizemos aos outros que sabemos o que estamos fazendo, mas na verdade já caímos no laço do passarinheiro, nas ciladas dos predadores, na armadilha dos opressores, sejam eles seres humanos aproveitadores, espíritos inescrupulosos, seja nossa própria subjetividade adoecida e prejudicada.

Paulo, apóstolo, instrui Timóteo, o jovem pastor de Éfeso, a respeito de indivíduos que se opõem à verdade, dizendo que eles caíram na armadilha do diabo, que os aprisionou para fazerem a vontade dele, e que a esperança deles está em que "Deus os leve ao arrependimento e, assim, conheçam a verdade", para que voltem "ao perfeito juízo" (2Tm 2.25-26).

Assim a Bíblia descreve a tentação: quando nossas entranhas, nossa carne, nossos instintos assumem o comando e perdemos o juízo e o bom senso. Até que um profeta nos põe o dedo na cara e nos desperta do encanto. Nesse momento as coisas voltam ao seu devido lugar, como se o feitiço tivesse sido quebrado.

Esses monstros, essas forças que estão dentro de cada um de nós, são dimensões da nossa subjetividade, que a Bíblia chama de carne e também de concupiscência da carne, ou desejos maus. Essa é a célebre e malfadada luta da carne contra o espírito-Espírito: a carne deseja o que é contrário ao Espírito; e o Espírito, o que é contrário à carne. Eles estão em conflito mútuo, de modo que não fazemos o que desejamos (Gl 5.16-17; ver 1Jo 2.16).

O ser humano é capaz de qualquer coisa, porque dentro dele — mesmo daqueles que nos parecem mais piedosos e santos — habitam essas forças, esses poderosos desejos maus. Quando nossa sobrevivência, nossa segurança são ameaçadas, quando somos alvos de violência ou injustiça, quando somos traídos ou subtraídos, nosso primeiro ímpeto é reagir com igual força e ceder ao ódio. Os monstros despertam dentro de nós e reivindicam seu desejo de dar vazão aos apetites e instintos, como se fossem feras gritando em nossa alma. Mas isso também acontece quando deparamos com oportunidades de prazer e satisfação para o corpo, para os sentidos físicos e para os anseios da alma.

Os desejos maus nos fazem propostas não apenas para reagir ao mal que nos fere, mas também para sugerir meios e fins ilegítimos que prometem prazer e conforto. Esse é o mecanismo da tentação: oferecer prazer para o corpo, para a alma e para o ego, mas por meios e fins impróprios, inadequados, interditados. Pão para o corpo faminto, popularidade para um messias que anuncia sua chegada, e todos os reinos do mundo (Mt 4.1-11). Os monstros estão soltos. Eles não poupam ninguém. A única forma de manter os monstros na casinha é viver em santidade. Os religiosos do tempo de Jesus se comportavam muito bem, mas não eram santos. A santidade não é a prática rotineira de atividade religiosa, porque Deus não se agrada de sacrifícios e holocaustos, isto é, de cultos e rituais religiosos (1Sm 15.22; Am 5.21-23). A santidade é um tipo de coração. A santidade é uma postura diante de Deus. A santidade diz respeito ao coração quebrantado, que Deus jamais despreza. A santidade é uma atitude permanente de ajoelhar-se diante de Deus e de submeter os monstros à autoridade dele, dizendo: Senhor, tem misericórdia de mim. Livra-me da culpa do meu pecado. Esconde o rosto dos meus pecados e apaga todas as minhas iniquidades. Cria em mim um coração puro, ó Deus, e renova dentro de mim um espírito estável — capaz de dizer sim quando quer dizer sim, e dizer não quando quer dizer não. Não me expulses da tua presença, nem tires de mim o teu Santo Espírito.

Quando o Espírito Santo não age em nossa vida, os monstros reinam. Nosso lugar é o permanente quebrantamento diante de Deus. Todos os dias. O pecado de Davi o quebrou, o humilhou e depois o quebrantou. Mostrou-lhe sua finitude e maldade, e o colocou de joelhos.

Santidade não é sinônimo de perfectibilidade. Não é um estado de não pecaminosidade, como se nos fosse possível estar sem pecado: "Se afirmarmos que não pecamos, chamamos Deus de mentiroso e mostramos que não há em nós lugar para sua palavra", disse João, apóstolo (1Jo 1.10). Santidade é um tipo de coração. Um coração quebrantado, absolutamente entregue a Deus, dependente de sua misericórdia e bondade e de seu poder. Santidade é a postura de quem conhece a própria insuficiência e busca suplemento na graça e providência de Deus.

Paulo, apóstolo, recomenda a Timóteo, seu filho na fé: "Seja forte por meio da graça que há em Cristo Jesus" (2Tm 2.1). O próprio Paulo sabe que não tem em si mesmo a força capaz de manter sob controle os monstros que o habitam, e muito menos a virtude suficiente para a vida santa que deseja: "Trabalhem com afinco a sua salvação, obedecendo a Deus com reverência e temor. Pois Deus está agindo em vocês, dando-lhes o desejo e o poder de realizarem aquilo que é do agrado dele", recomenda aos cristãos de Filipos (Fp 2.12-13). Ele sabe que os frutos do seu ministério não resultam de suas habilidades, competências ou de seu esforço, pois tudo faz lutando "na dependência de seu [de Cristo] poder que atua em mim" (Cl 1.29). Ele sabe perfeitamente que sem a graça de Deus jamais seria o homem que é: "O que agora sou, porém, deve-se inteiramente à graça que Deus derramou sobre mim, e que não foi inútil" (1Co 15.10).

Santidade é a coragem de olhar-se no espelho desse salmo e orar como Davi: Senhor, aqui estou, de joelhos. Eis-me aqui outra vez, quebrantado. Não me deixes entregue às próprias forças e aos próprios apetites. Mas que o teu Espírito Santo controle a minha vida.

Santidade é um coração que ora sem cessar: Senhor, eu sei que eu sou pó e cinza. Eu sei que na minha carne não habita bem algum. Por isso, eis-me aqui outra vez, quebrantado. Não me lances fora da tua presença e mantém-me sob o controle do teu Espírito. Para o meu bem e para glória do teu nome. Amém!

8
ADORAÇÃO

Em seguida, Jesus foi conduzido pelo Espírito ao deserto para ser tentado pelo diabo. Depois de passar quarenta dias e quarenta noites sem comer, teve fome.

O tentador veio e lhe disse: "Se você é o Filho de Deus, ordene que estas pedras se transformem em pães".

Jesus, porém, respondeu: "As Escrituras dizem: 'Uma pessoa não vive só de pão, mas de toda palavra que vem da boca de Deus'".

Então o diabo o levou à cidade santa, até o ponto mais alto do templo, e disse: "Se você é o Filho de Deus, salte daqui. Pois as Escrituras dizem: 'Ele ordenará a seus anjos que o protejam. Eles o sustentarão com as mãos, para que não machuque o pé em alguma pedra'".

Jesus respondeu: "As Escrituras também dizem: 'Não ponha à prova o Senhor, seu Deus'".

Em seguida, o diabo o levou até um monte muito alto e lhe mostrou todos os reinos do mundo e sua glória. "Eu lhe darei tudo isto", declarou. "Basta ajoelhar-se e adorar-me."

"Saia daqui, Satanás!", disse Jesus. "Pois as Escrituras dizem: 'Adore o Senhor, seu Deus, e sirva somente a ele'."

Então o diabo foi embora, e anjos vieram e serviram Jesus.

Mateus 4.1-11

Adorar e prestar culto são coisas absolutamente distintas, embora indissociáveis como duas faces de uma mesma experiência. Não é possível adorar sem cultuar e, vice-versa, culto sem adoração é ritualismo vazio. Adorar e prestar culto são expressões privilegiadas da santidade. Viver em santidade implica adorar somente a Deus e a ele prestar culto. Adorar é uma expressão do coração, diz respeito a uma atitude interior. A expressão "adorar" encontra paralelo na cultura grega e na sociedade romana, significando o ato de ajoelhar-se diante de um soberano de fato, de prostrar-se com o rosto em terra, a ponto de beijar os pés de quem recebe a veneração. A adoração demonstra o reconhecimento da grandeza e majestade, da autoridade e poder, e da condição soberana daquele diante do qual se ajoelha.

Os chamados reis magos, na verdade astrônomos e sábios, buscaram o menino Jesus para render-lhe adoração, pois sabiam que a estrela que os guiara a Belém apontava o nascimento de um rei, e quando o encontraram "se prostraram e o adoraram" (Mt 2.11). O homem acometido de lepra suplicou a cura diante de Jesus e, prostrado, adorou-o, dizendo: "Senhor, se quiser, pode me curar e me deixar limpo" (Mt 8.2). Também o dirigente da sinagoga, reconhecendo a autoridade de Jesus sobre a morte, não ousou dirigir-lhe a palavra sem antes ajoelhar-se: "Minha filha acaba de morrer. [...] Mas, se o senhor vier e puser as mãos sobre ela, ela viverá" (Mt 9.18). Quando os discípulos receberam Jesus, que, andando sobre as águas, vinha ao encontro deles no barco, o adoraram, dizendo: "De fato, o senhor é o Filho de Deus!" (Mt 14.33). Certa mulher cananeia clamava em alta voz e, mesmo contida pelos discípulos e apesar da relutância de Jesus em atendê-la, adorou-o de joelhos: "Senhor, Filho de Davi, tenha misericórdia de mim!" (Mt 15.22). As mulheres que foram ao sepulcro correram até os discípulos para, amedrontadas e cheias de alegria, anunciar-lhes que Jesus havia ressuscitado: "Jesus as encontrou e as cumprimentou. Elas correram para ele, abraçaram seus pés e o adoraram" (Mt 28.8-9). Adorar, ajoelhar-se e prostrar-se são expressões que traduzem a mesma palavra grega *proskuneo*, usada no Novo Testamento.

Em resposta à petulante proposta do diabo: "Eu lhe darei tudo isto. [...] Basta ajoelhar-se e adorar-me" (Mt 4.9), Jesus cita as Escrituras Sagradas, mais precisamente Deuteronômio 6.13 e 10.20: "Adore o Senhor, seu Deus, e sirva somente a ele" (Mt 4.10). Jesus sabia que em todo o universo há somente um diante de quem devemos nos prostrar. Apenas um é digno de receber a entrega absoluta da nossa existência, este a quem Jesus mesmo invocava com a expressão "meu Pai que está nos céus".

Adorar implica, portanto, entrega absoluta, disponibilidade plena, rendição irrestrita. Na adoração, reconhecemos e expressamos a prerrogativa de Deus sobre nossa vida, e seu direito de delas dispor conforme sua boa, perfeita e agradável vontade. Ajoelhados, prostrados diante de Deus, caídos a seus pés em adoração, dizemos: "Eis-me aqui, dispõe de mim, faze de mim conforme teu prazer, o que quiseres, o que desejares, incluindo nada". Diante de Deus não há outra postura possível, outra forma de ser e estar senão na condição de adorador e adoradora.

Em sua conversa com a mulher samaritana, Jesus revela que "está chegando a hora, e de fato já chegou, em que os verdadeiros adoradores adorarão o Pai em espírito e em verdade. O Pai procura pessoas que o adorem desse modo" (Jo 4.23). Deus está à procura de adoradores e nos quer nessa condição porque é a única relação que podemos ter com ele. Por isso, ou estamos prostrados a seus pés ou estamos em estado de rebelião, revolta e hostilidade diante dele. Quando assim nos prostramos, reconhecendo sua soberania e seu direito sobre nós, também nos rendemos e nos colocamos em suas mãos para que disponha de nós segundo a sua vontade. Como adoradores, nós nos colocamos perante Deus na condição de criaturas dependentes de sua mercê e graça. Adorar é reconhecer o nosso lugar e o lugar de Deus. Implica reconhecer, sem revolta, que Deus tem todo direito de realizar em nós seu propósito e sua vontade, quaisquer que sejam. Adorar é cultivar um coração que se prostra diante de Deus reconhecendo que "todas as coisas vêm dele, existem por meio dele e são para ele. A ele seja toda a glória para sempre! Amém" (Rm 11.36).

Da adoração nasce o culto. Adorar é uma atitude do coração, cultuar é a ação consequente. Essa mesma expressão usada por Jesus, "prestar culto", aparece em outros momentos do Novo Testamento. Atos dos Apóstolos, por exemplo, registra que na igreja de Antioquia pastores, profetas e mestres oravam, jejuavam e prestavam culto a Deus (At 13.1). Em sua carta à igreja em Roma, o apóstolo Paulo se refere a seu ministério entre os gentios, isto é, entre os não judeus, como um culto a Deus, uma liturgia (Rm 15.16). No entanto, não só o ministério apostólico é tratado como sacerdócio e liturgia, mas também o ofício público das autoridades civis, chamadas diáconos, servos de Deus (Rm 13.4). A reunião no templo, o momento de oração, a prática do jejum, a oferta aos pobres, a visita a uma pessoa encarcerada, o serviço público, tudo é culto a Deus. Tudo deve nascer do coração adorador.

O culto que prestamos a Deus não é apenas o momento que separamos para ir ao templo, aos domingos. O culto como atividade dominical no templo tem hora para começar e terminar. Mas, para o coração adorador, a vida inteira é um culto a Deus, uma liturgia e uma diaconia, um serviço a Deus. Esse é o sentido da recomendação do apóstolo Paulo quando nos exorta: "Portanto, irmãos, rogo-lhes pelas misericórdias de Deus que se ofereçam em sacrifício vivo, santo e agradável a Deus; este é o culto racional de vocês" (Rm 12.1, NVI). A palavra "racional" aqui não significa o que é próprio da razão e da racionalidade humana, relativa à mente e à inteligência. É verdade que o culto a Deus deve ser inteligente e inteligível, dotado de sentido e razoabilidade para quem o pratica. Paulo ensinou isso quando escreveu aos cristãos de Corinto: "Orarei com o espírito, mas também orarei com o entendimento; cantarei com o espírito, mas também cantarei com o entendimento" (1Co 14.15). Mas não é a isso que o apóstolo se refere em Romanos. O significado da palavra grega *logikon*, traduzida por "racional", alude a algo autêntico, legítimo, real e verdadeiro. Apresenta o mesmo sentido da relação que o apóstolo Pedro estabelece entre a palavra de Deus e o leite puro, "leite *logikon*", verdadeiro, legítimo, não falso ou falsificado (1Pe 2.2). O que Paulo está dizendo com a expressão "culto racional" é que o verdadeiro culto, o serviço legítimo que prestamos a Deus, não se restringe a um conjunto de atividades, mas é a nossa própria vida disposta e entregue como sacrifício vivo e santo, que agrada a Deus.

O culto, portanto, é um serviço a Deus, que deve confundir-se com nossa vida como um todo. Isso é santidade. Em resposta ao direito de Deus sobre toda a criação, nós nos prostramos diante dele, como adoradores. Somos constrangidos e compelidos a nos disponibilizar perante Deus e as pessoas, como servos e servas, liturgos e diáconos.

Escrevendo aos cristãos da cidade de Filipos, o apóstolo Paulo usa o exemplo de Jesus como paradigma para nossa vida de santidade e adoração:

Seja a atitude de vocês a mesma de Cristo Jesus,

que, embora sendo Deus,
não considerou que o ser igual a Deus
era algo a que devia apegar-se;
mas esvaziou-se a si mesmo, vindo a ser servo,
tornando-se semelhante aos homens.
E, sendo encontrado em forma humana,
humilhou-se a si mesmo e foi obediente até à morte,
e morte de cruz!
Por isso Deus o exaltou à mais alta posição
e lhe deu o nome que está acima de todo nome,
para que ao nome de Jesus se dobre todo joelho,
no céu, na terra e debaixo da terra,
e toda língua confesse que Jesus Cristo é o Senhor,
para a glória de Deus Pai.

Filipenses 2.5-11, NVI

O apóstolo nos exorta a ter a mesma atitude, a mesma intenção e o mesmo coração de Jesus. Paulo está dizendo: "Não sejam como o primeiro Adão, a primeira humanidade, que não era Deus, mas quis ser igual a Deus. Sejam como o último Adão, a segunda humanidade, que era Deus, mas quis ser igual ao humano". Jesus Cristo se esvaziou e tomou a forma de servo. E, ao fazê-lo, assemelhou-se aos homens.

Uma leitura desatenta dessa revelação bíblica pode levar à falsa compreensão de que Jesus Cristo desceu uma escada com vários degraus até tornar-se um de nós. No primeiro degrau, Jesus é Deus. No segundo, é Deus esvaziado. No terceiro, toma a forma humana. E, finalmente em forma humana, fez-se servo obediente até a morte de cruz. Nada mais equivocado. Isso sugeriria a possibilidade de ser humano e não servo. Mas a verdade é que Jesus "esvaziou-se a si mesmo, vindo a ser servo, tornando-se semelhante aos homens". Ser humano é ser servo. Somente na condição de servo, Jesus se torna semelhante aos homens. O ser humano é um adorador que presta culto a Deus. A santidade como adoração é o caminho para a plena humanidade.

Como adoradores e adoradoras, estamos prostrados aos pés de Deus como servos e servas, servindo-o não apenas com uma atitude de rendição e total entrega, mas também com o consequente estilo de vida: a vida como sacrifício vivo. Não somos deuses e não queremos o lugar de Deus. Por essa experiência de adoração, permanecemos na condição de criaturas, e como tal nos dispomos a fazer a vontade de Deus Pai, tendo como exemplo seu Filho unigênito, o verdadeiro adorador que se revelou à mulher em Samaria.

Jesus veio nos ensinar o que é ser adorador, ou seja, o que é ser humano. Adorar é servir, e na pessoa de Jesus essas expressões se tornam tão idênticas e sinônimas que uma já não existe sem a outra. Ser humano é ser adorador, ser adorador é ser servo.

A plenitude de nossa humanidade consiste em adorar a Deus, e adorar a Deus é servi-lo, prestar-lhe culto. Quando servimos, nos humanizamos. Quando adoramos, nos humanizamos. Em sua tentação, Jesus se submete, resignado, à sua condição humana, unido ao pó, e mantém seu coração adorador rendido exclusivamente ao Pai, que está no céu. O diabo desejava que Jesus Cristo deixasse sua condição de servo, que se recusasse a sofrer a condição humana da fome, ou que colocasse Deus à prova. A intenção do tentador era fazer Jesus abandonar sua disposição de levar às últimas consequências sua posição de adorador-servo de Deus, pois justamente nessa posição Jesus se provava Filho de Deus. Caso tivesse abandonado a posição de adorador-servo, Jesus teria perdido sua humanidade, teria se desumanizado, teria seguido o caminho da serpente e do primeiro casal, que se rebelaram contra sua condição de criaturas e padeceram pelo desejo de serem iguais a Deus.

Santidade é curvar-nos diante de Deus admitindo, sem revolta, sem rebeldia, sem reivindicações, sem murmurações, nossa condição de criatura. Santidade é manter-nos diante de Deus, derramar nossa vida inteira a seus pés. Quando assim agimos, a vida integra-se, amarra-se em um todo de sentido, pois é a partir dessa atitude interior que começamos a movimentar-nos em Deus, por Deus e para Deus, e então somos não apenas transformados, mas também exaltados: "Portanto, humilhem-se sob o grande poder de Deus e, no tempo certo, ele os exaltará" (1Pe 5.6). Santidade é viver cada um dos detalhes da vida como um culto a Deus.

Ser de Jesus não é esperar o céu. Ser de Jesus é ser um adorador agora. É transformar a vida em um culto a Deus hoje. Cada detalhe da vida deve ser consciente de que estamos em um mundo que não é nosso, e que há um, e somente um ser em todo este universo, digno de receber nossa adoração.

Então atravessamos os dias com gratidão, com temor e alegre reverência diante de Deus. Cada ato é um culto a esse Deus que deu origem a tudo, que a tudo sustenta e que é digno de receber tudo de volta como ato de adoração. Essa consciência muda tudo, desde como dizemos bom dia à primeira pessoa que vemos até a maneira de movimentar-nos na cidade e de trabalhar. Enfim, como somos e existimos. Viver para adorar e prestar culto a Deus muda a atitude nas coisas mais triviais da vida, e sem essa experiência jamais aprenderemos a viver em santidade.

A santidade é, portanto, esse estado permanente de profunda consciência de que pisamos em um universo que não é nosso e de que existe alguém com pleno direito sobre nós. Aquilo que não vier de Deus não deve estar em nossas mãos. Aquilo que não resultar em glória para Deus não deve ser expressão da nossa ação. Santidade é adorar e prestar a culto a Deus. E somente a Deus.

9
PRAZER

"Os céus se espantam diante disso,
    ficam horrorizados e abalados", diz o SENHOR.
"Pois meu povo cometeu duas maldades:
    Abandonaram a mim, a fonte de água viva,
e cavaram para si cisternas rachadas,
    que não podem reter água."

Jeremias 2.12-13

A profecia de Jeremias nos joga ao chão, com a cara no pó. Tem a capacidade de denunciar nosso pecado e expor nossa vergonha como poucas vezes nas Escrituras alguém conseguiu fazer. Mas, como lhe é próprio, a profecia bíblica também é capaz de nos inspirar, nos erguer e estimular, e encher nosso coração de anseios e desejos pela santidade. Quando medito nessas palavras, o que é recorrente em minha caminhada e experiência com Deus, uma imagem me ocorre. Sinto como se Deus tivesse acendido um holofote sobre mim, me iluminando, deixando tudo escuro à minha volta, de modo que fico sozinho e completamente exposto a seus olhos. E, com aquela luz em cima de mim, Deus exclama: "Olhem, céus, vejam que ridículo isso… olhem esse absurdo. Como alguém pode me explicar um ser humano como esse?".

Ler essas palavras, ao mesmo tempo que me traz um enorme desconforto e vergonha, uma vontade de encontrar um buraco no chão e desaparecer, também me mostra as mãos estendidas do Eterno. A experiência espiritual nos termos do evangelho de Jesus Cristo se caracteriza por essa dupla sensação: o horror a respeito de si mesmo e o maravilhamento diante da santidade de Deus. O mesmo Deus que nos leva ao constrangimento por revelar verdades sobre nós e expor o ridículo de nossa condição humana nos diz: "Venha comigo. Vou tirar você daí. Vou tirar você desse lamaçal e firmar seus pés sobre uma rocha. Vou levá-lo para um lugar firme, para outra dimensão, outra condição de ser e existir. Vou fazer você de novo e lhe dar mais uma oportunidade. Minhas misericórdias se renovaram sobre você esta manhã. Vamos juntos começar de novo".

A experiência da santidade bíblica exige tanto a vivência profunda da culpa e da vergonha como a confiança nas misericórdias de Deus, que duram para sempre. Desconfio muito de gente que diz ter tido uma experiência com Deus sem experimentar profunda vergonha de si mesmo. Gente que diz ter intimidade com Deus, mas que não é capaz de enxergar o próprio pecado. Mas também desconfio de quem só enxerga sua escuridão, vive se esgueirando pelas sombras da alma, sem contemplar a brilhante luz de Deus e o horizonte de possibilidades que sua graça abre para todos que se entregam ao seu cuidado amoroso e se rendem ao seu poder regenerador.

A profecia de Jeremias me faz refletir sobre o absurdo de como usualmente vivemos diante de Deus. Trocamos a fonte da água da vida para cavar buracos e reter água de chuva. Preferimos beber água de chuva empoçada a beber água viva. Muito provavelmente essa nossa atitude resulta das mentiras semeadas em nosso coração a respeito do significado da vida piedosa e da relação entre pecado e santidade. Embora essas mentiras arraigadas profundamente em nossa subjetividade nos distanciem muito da vontade de Deus, o evangelho vem para desmascará-las e libertar-nos de seus grilhões. A conversão a Jesus implica o encontro com a verdade: "Então conhecerão a verdade, e a verdade os libertará. [...] Portanto, se o Filho os libertar, vocês serão livres de fato" (Jo 8.32,36).

Libertos das mentiras que nos afastam de Deus e nos distanciam de nós mesmos, de nossa vocação como seres humanos criados à imagem e semelhança de Deus, somos livres para alcançar o potencial pleno como filhas e filhos amados de Deus. As mentiras sobre Deus e sua vontade, sobre o mundo espiritual e sobre nossa identidade mais essencial nos afastam da realização como seres que carregam em si toda a beleza de Deus, alienando-nos de nós mesmos, fazendo-nos beber água de chuva empoçada em buracos rotos e rachados.

Uma das maiores mentiras que sabotam nossa experiência espiritual é a falsa ideia de que santidade nada tem a ver com prazer, como se prazer e santidade fossem inconciliáveis, não coubessem na mesma frase. Somos ensinados que prazer está relacionado com pecado ou, como disse o poeta popular, que tudo que dá prazer é "ilegal, imoral ou engorda". Somos ensinados que o chamado à santidade nos exige escolher a todo instante entre o prazer do pecado e a privação da santidade. Entre uma vida de alegria e contentamento, de fruição e satisfação, e uma intimidade com Deus em penitência, em permanente contrição, exercida numa vida sombria, triste, acabrunhada, resignada ao pouco, ao mínimo, e que acaba sendo insuficiente. Alguém fez o favor de nos dizer, e tomamos como verdade, que viver em santidade significa renunciar aos prazeres do mundo e do corpo.

O imaginário da piedade sugere uma vida infernal à espera do céu, esse sim o lugar das delícias eternas como compensação por uma vida terrena resignada e sacrifical. Mas essa é uma caricatura do evangelho, uma gritante distorção do propósito de Deus para sua criação e especialmente para nós, seus filhos e filhas amados. É inegável que muita coisa ilegal, imoral e engordativa consiste em fonte de prazer e satisfação. O pecado não seria objeto de tentação se não prometesse satisfação e não oferecesse recompensa de gratificação, ainda que momentânea e efêmera. Muitas coisas que interpelam nossos desejos transgressivos são atraentes, gostosas e prazerosas. E o que transgride, é imoral ou engorda mostra-se, sim, delicioso.

Mas há por trás desse jogo nefasto da luta contra o pecado uma mentira que o diabo faz questão de repetir: não existe prazer na santidade, o prazer é uma experiência exclusiva do pecado. A verdade, no entanto, é exatamente o oposto: o prazer mora na casa de Deus. Salmos 16.11 diz: "na tua presença há plenitude de alegria, na tua destra, delícias perpetuamente" (RA).

Como o salmista, podemos e devemos escolher a alegria de estar em Deus:

> Um só dia em teus pátios
> é melhor que mil dias em qualquer outro lugar.

Prefiro ser porteiro da casa de meu Deus
a viver na morada dos perversos.
Pois o Senhor Deus é nosso sol e nosso escudo;
ele nos dá graça e honra.
O Senhor não negará bem algum
àqueles que andam no caminho certo.

Salmos 84.10-11

A escolha que precisamos fazer não é entre o prazer do pecado e o não prazer da santidade. As possibilidades disponíveis para a experiência humana são os prazeres da ordem água de chuva empoçada e os da ordem fonte de água viva. A santidade não é uma questão de prazer de um lado e não prazer de outro. A santidade é uma escolha entre dois tipos de prazeres.

Impressiona como tendemos a gostar tanto de água empoçada. Temos prazer, por exemplo, na vingança e morbidamente nos alegramos com as desventuras de nossos desafetos. Temos prazer no sofrimento das pessoas que consideramos más. Temos prazer em pagar o mal com o mal. Todos eles prazeres da ordem água de chuva, lamacenta e suja. Pode até ser água gelada, mas é suja e nojenta.

Existe, no entanto, outro tipo de prazer, aquele que nos advém da experiência de conceder perdão e estender a mão para a reconciliação. Existe uma alegria possível apenas quando nos ajoelhamos e derramamos lágrimas diante de Deus, em intercessão abençoadora em favor dos que nos fizeram mal. De repente, percebemos que o coração já não está ferido pela mágoa nem cativo do ressentimento. A fonte de água da vida nos faz experimentar o prazer da compaixão e da misericórdia. Não é sem razão que a raiz da palavra grega *charis*, traduzida por "graça", pode também significar alegria, carisma, dom e contentamento.

O prazer do perdão não se compara ao pratinho frio da vingança. O prazer da reconciliação e da vida livre de mágoas e ressentimentos está relacionado com o caráter de Jesus. Quando a beleza de Jesus se manifesta em nós, o prazer divino transborda sobre nós. É o prazer de experimentar a leveza do coração de Jesus batendo em nosso peito. É a luz da bondade e da serenidade do caráter de Deus refletida em nossos olhos. Lúcifer desconhece esse prazer da luz. Ele só conhece o prazer da escuridão, o prazer da ordem água de chuva.

Existe, sim, prazer no sexo casual, inclusive no sexo transgressivo, promíscuo e depravado. Há prazer na paixão arrebatadora e passageira, do tipo "amor de verão", no flerte e no jogo do desejar e sentir-se desejado, mas não se compara ao prazer das relações de amor longevo, marcado pela cumplicidade e pela comunhão não apenas dos corpos mas também da alma e do espírito. O prazer da proximidade-profundidade-intimidade do amor conjugal não se compara ao prazer das paixões, e ele proporciona um prazer que sexo algum oferece: o prazer de ter filhos ao redor da mesa celebrando a alegria da vida em família; o prazer de olhar no olho da pessoa a quem você jurou amor, sem mentiras ou dissimulações; o prazer de não levar uma vida dupla, de não carregar culpa ao tentar conciliar o sono.

Santidade não é precisar escolher entre o prazer do pecado e "a porcaria do casamento". Santidade é desfrutar o prazer de experimentar o natural da vida, a conjugalidade e a família, por exemplo, sob a bênção de Deus.

Há, sim, prazer no dinheiro. Mas é melhor não ter dinheiro sujo na mão, no bolso, na conta corrente. A Bíblia diz que é melhor ter pouco, conseguido honestamente e abençoado por Deus, do que muito com injustiça (Pv 15.16; 16.8). O gosto do pão limpo não se compara ao do pão sujo. Dinheiro indevido, fruto de qualquer outra fonte que não do trabalho honesto, nosso e dos nossos, é uma bomba-relógio que, cedo ou tarde, explode em nossa cara. A explosão faz ruir o castelo da ilusão do poder do dinheiro. O dinheiro pode muito, mas não pode tudo. Por isso a Bíblia adverte:

A devoção acompanhada de contentamento é, em si mesma, grande riqueza. Afinal, não trouxemos nada conosco quando viemos ao mundo, e nada levaremos quando o deixarmos. Portanto, se temos alimento e roupa, estejamos contentes.

Mas aqueles que desejam enriquecer caem em tentações e armadilhas e em muitos desejos tolos e nocivos, que os levam à ruína e destruição. Pois o amor ao dinheiro é a raiz de todo mal. E alguns, por tanto desejarem dinheiro, desviaram-se da fé e afligiram a si mesmos com muitos sofrimentos. [...]

Ensine aos ricos deste mundo que não se orgulhem nem confiem em seu dinheiro, que é incerto. Sua confiança deve estar em Deus, que provê ricamente tudo de que necessitamos para nossa satisfação. Diga-lhes que usem seu dinheiro para fazer o bem. Devem ser ricos em boas obras e generosos com os necessitados, sempre prontos a repartir. Desse modo, acumularão tesouros para si como um alicerce firme para o futuro, a fim de experimentarem a verdadeira vida.

1 Timóteo 6.6-10,17-19

A santidade não é uma vida cinzenta, é um prazer de outra dimensão. O prazer da fonte da água da vida, aquilo que o salmista descreve como plenitude de alegria e delícias perpétuas, a esse prazer o apóstolo Paulo se refere como fruto do Espírito: "amor, paz, alegria" (Gl 5.22). Essas expressões bíblicas descrevem o estado de espírito que se instala em nossa interioridade quando andamos na luz e compartilhamos o caráter e a beleza de Deus.

Mas existe um prazer que a Bíblia chama de pecado, de água turva. É um prazer desumanizador. Ele drena o que somos e temos. Ele nos suga e nos mantém em um estado permanente de frustração e culpa. Vivemos de prazer em prazer, prazeres mínimos e efêmeros, para fugir da náusea. Bebemos mais água de chuva, empoçada, para afastar a angústia. Mas Deus, constante e misericordiosamente, nos chama a passar para outro lado, a fim de nos deliciarmos na fonte da água da vida.

Santidade é a busca do prazer em Deus. Nós, cristãos, temos um documento muito antigo, o Catecismo de Westminster, formulado por teólogos ingleses e escoceses no século 17, que diz: "A finalidade suprema do ser humano é glorificar a Deus e ter alegria nele por toda a eternidade". Portanto, glorificamos a Deus quando nos alegramos nele. Assim como honramos uma cachoeira ao usufruir de suas águas, glorificamos a Deus ao viver com ele a intimidade para além de nossos rituais.

A santidade exige que nos reencontremos com a fonte da água da vida, que nos reencontremos com Deus e sua vontade, que é "boa, perfeita e agradável" (Rm 12.2). Mas para desfrutar Deus e sua vontade, precisamos ter a coragem de nomear nossas poças de água de chuva. Desmascarar os prazeres turvos para os quais corremos quando a náusea nos angustia demasiadamente, quando a oração, a meditação e os louvores já não são suficientes. Investigue seu coração e responda honestamente: para onde você corre quando tudo não faz mais sentido ou não satisfaz?

O reencontro com o prazer em Deus implica também e principalmente confiar que no exato momento em que chafurdamos na água da chuva empoçada, desesperados e tentando matar a sede naquela água barrenta, Deus vem em nosso favor e nos diz amorosamente: "Meu filho, minha filha, que coisa mais absurda e ridícula você está fazendo. Venha cá, me dê sua mão. Vamos para a fonte de água viva. Permita que eu guie você pelas veredas da justiça, que o conduza aos pastos verdejantes e às águas cristalinas, onde há refrigério e restauração para sua alma cansada".

Santidade é desejar o prazer em Deus. Há prazer na santidade. Na verdade, apenas na santidade há prazer verdadeiro e perene.

10

IDENTIDADE

O SENHOR me disse: "Vá, compre um cinto de linho e vista-o, mas não o lave". Comprei o cinto de linho, como o SENHOR me havia instruído, e o vesti.

Então recebi outra mensagem do SENHOR: "Pegue o cinto de linho que está vestindo e vá ao rio Eufrates. Esconda-o ali, num buraco entre as pedras". Fui e o escondi junto ao Eufrates, como o SENHOR me havia ordenado.

Depois de muito tempo, o SENHOR me disse: "Volte ao rio Eufrates e pegue o cinto que eu lhe disse que escondesse ali". Fui ao Eufrates, cavei onde havia escondido o cinto e o tirei dali. Mas o cinto tinha apodrecido e não servia para nada.

Então recebi esta mensagem do SENHOR: "Assim diz o SENHOR: Do mesmo modo farei apodrecer o orgulho de Judá e de Jerusalém. Este povo perverso não quer me ouvir. Seguem os desejos teimosos de seu coração e adoram outros deuses. Portanto, eles se tornarão semelhantes a esse cinto: não servirão para nada! Assim como o cinto se apega à cintura do homem, eu criei Judá e Israel para se apegarem a mim, diz o SENHOR. Deveriam ser meu povo, meu louvor e minha glória, uma honra para meu nome. Mas não quiseram me ouvir".

Jeremias 13.1-11

A religião de Israel é sintetizada na expressão "a Lei e os Profetas". Ao lado da Torá, a Lei de Moisés, fundamento da aliança entre Deus e Abraão e sua descendência, os profetas apontavam o caminho da retidão e da santidade. Em seu célebre Sermão do Monte, Jesus se apressou em esclarecer seu compromisso com a tradição espiritual de Israel: "Não pensem que vim abolir a Lei ou os Profetas; não vim abolir, mas cumprir" (Mt 5.17, NVI). Quando de sua transfiguração diante dos discípulos Pedro, Tiago e João, Jesus se encontrou na companhia de Moisés e Elias, que representam respectivamente a Lei e os Profetas. Nessa ocasião mais uma vez Deus se pronunciou desde os céus dizendo a respeito de Jesus: "Este é meu Filho amado, que me dá grande alegria. Ouçam-no!" (Mt 17.5). O próprio Jesus anunciou que a revelação chegava ao ápice em sua pessoa: "A Lei e os Profetas profetizaram até João [Batista]. Desse tempo em diante estão sendo pregadas as boas novas do Reino de Deus" (Lc 16.16, NVI). Por essa razão Jesus esclareceu a seus discípulos, confusos, a respeito de sua identidade messiânica, discorrendo a partir dos "escritos de Moisés e dos profetas, explicando o que as Escrituras diziam a respeito dele" (Lc 24.27).

Os profetas de Israel são imprescindíveis para o bom entendimento da espiritualidade bíblica. Não apenas o conteúdo de sua mensagem, o que Deus fala, mas a própria dinâmica do profetismo, como Deus fala, podem ser considerados parte essencial de sua revelação. A experiência de Jeremias é um ótimo exemplo de como funcionava o profetismo em Israel. Os profetas anunciavam a palavra de Deus, mas Deus não revelava o conteúdo da mensagem através de ideias ou palavras, como se estivesse ditando o que seria enunciado pelos profetas.

A melhor explicação que obtive a respeito da dinâmica do profetismo bíblico foi a do rabino Abraham Joshua Heschel:

> O profeta é um homem que sente furiosamente. Deus acendeu uma chama em sua alma, e ele está curvado e aturdido diante da barbárie. Assustadora é a agonia do homem, nenhuma voz humana pode canalizar todo esse terror. A profecia é a voz que Deus emprestou à agonia profanada no mundo. É um modo de vida, uma encruzilhada entre Deus e o homem. Deus se manifesta nas palavras dos profetas.[*]

Heschel explica ainda que os profetas não tinham nenhuma ideia de Deus; o que eles possuíam era um "entendimento". Esse entendimento, entretanto, não lhes chegava mediante conceitos racionalizados e sistematizados, a exemplo das doutrinas e dos dogmas de hoje. Os profetas são movidos pelo *pathos* divino, e não pelas ideias divinas. Deus compartilha o seu próprio coração com eles. Heschel chama essa experiência profética de "religião da simpatia":

> Simpatia é um estado no qual a pessoa está aberta à presença de outra. É o movimento interior que percebe o sentimento para o qual ele reage, é a solidariedade emocional opositiva. Na simpatia profética, o homem está aberto para a presença e a emoção do sujeito transcendente.

[*] Abraham J. Heschel, *The Prophets* (New York: HarperCollins, 2001), p. 5-6.

Ele carrega sobre si a consciência do que está ocorrendo com Deus.*

Os profetas sentem o que Deus sente. Deus derrama o seu coração sobre o coração deles. Deus os leva a experimentar o que e como ele mesmo sente a respeito das situações concretas da vida humana. As palavras nascem da simpatia do profeta por Deus. Para compartilhar seu coração com os profetas, Deus os coloca em situações inusitadas. E é o que acontece com Jeremias, que se vê em uma situação em que lhe é possível ser simpático ao coração divino. Deus lhe ordena que compre um cinto de linho. Naquela época, os cintos não eram como os atuais, de poucos centímetros de largura, usados no cós das roupas; tratava-se de faixas que cobriam praticamente todo o tronco, da cintura até a altura do peito, e revestiam as túnicas, compondo a beleza da indumentária. A faixa era a primeira coisa observada na vestimenta de um homem, uma vez que denotava seu *status*, sua classe social e região de origem. As faixas, então, representavam a identidade de quem as usava. Ainda hoje o estilo do vestuário é um meio de comunicar quem e como somos, e especialmente como desejamos ser percebidos.

A experiência do profeta Jeremias, portanto, revela a santidade como identidade. Deus ordena a Jeremias que vista o cinto de linho e cumpra seus compromissos sociais. Em seguida, ordena-lhe que enterre o cinto e dele se esqueça por um longo período. Passados muitos dias, vem a ordem para que o desenterre. Agora, aquela bela faixa que

* Idem, p. 19.

deveria ser o ornamento de sua vestimenta está apodrecida, suja e rasgada, na verdade, praticamente inutilizada. Então Deus lhe ordena que a use novamente. Deus expõe Jeremias ao constrangimento, como se dissesse: "Está sentindo vergonha por apresentar-se publicamente dessa maneira? É assim que me sinto com relação a Israel".

Como lemos anteriormente, Deus disse ao profeta que confiou sua reputação a Israel e a Judá. Veja o que diz o texto bíblico: "'Assim como o cinto se apega à cintura do homem, eu criei Judá e Israel para se apegarem a mim', diz o Senhor. 'Deveriam ser meu povo, meu louvor e minha glória, uma honra para meu nome. Mas não quiseram me ouvir'" (Jr 13.11). Deus confiou seu nome a Israel e Judá. Ele se vestiu do seu povo. Deus desfila entre as nações vestido do seu povo. O povo de Deus é a roupa que Deus veste.

As pessoas adquirem noções e tiram conclusões sobre Deus pelo contato com o povo que o representa. O que Deus está dizendo por meio da experiência de Jeremias é mais ou menos o seguinte: "Israel é como um cinto podre em volta de mim. A minha reputação está comprometida, o meu nome está sendo difamado, a minha identidade está distorcida porque a roupa com que Israel me vestiu não me representa".

O povo de Deus é a roupa que Deus veste. Deus é Santo, Santo, Santo, e por essa razão o povo de Deus deve ser santo. A santidade do povo de Deus é expressão da identidade do Deus a quem pertencem, amam e servem: "Agora, porém, sejam santos em tudo que fizerem, como é santo aquele que os chamou. Pois as Escrituras dizem: 'Sejam santos, porque eu sou santo'" (1Pe 1.15-16).

Assim como no Antigo Testamento Deus se vestiu de Israel e Judá, no Novo Testamento ele se vestiu da igreja. A Bíblia está repleta de passagens que nos falam disso. O apóstolo Paulo chama a igreja de verdadeiro Israel e legítima descendência de Abraão:

"Abraão creu em Deus, e assim foi considerado justo." Logo, os verdadeiros filhos de Abraão são aqueles que creem. As Escrituras previram esse tempo em que Deus declararia os gentios justos por meio da fé. Ele anunciou essas boas-novas a Abraão há muito tempo, quando disse: "Todas as nações da terra serão abençoadas por seu intermédio". Portanto, todos os que creem participam da mesma bênção que Abraão recebeu por crer.

Gálatas 3.6-9

Os títulos que a Lei e os Profetas atribuíram a Israel são agora usados para descrever a igreja:

Vocês, porém, são povo escolhido, reino de sacerdotes, nação santa, propriedade exclusiva de Deus. Assim, vocês podem mostrar às pessoas como é admirável aquele que os chamou das trevas para sua maravilhosa luz.

1Pedro 2.9

A igreja deve viver de modo a atrair as pessoas ao evangelho. Nosso comportamento revela o caráter e a bondade de Deus. Veja o que disse Paulo em sua carta a Tito:

Mas, quanto a você, que suas palavras reflitam o ensino verdadeiro. Os homens mais velhos devem exercitar o autocontrole, a fim de que sejam dignos de respeito e vivam com sabedoria. Devem ter uma fé sólida e ser cheios de amor e paciência.

Semelhantemente, as mulheres mais velhas devem viver de modo digno. Não devem ser caluniadoras, nem beber vinho em excesso; antes, devem ensinar o que é bom. Devem instruir as mulheres mais jovens a amar o marido e os filhos, a viver com sabedoria e pureza, a trabalhar no lar, a fazer o bem e a ser submissas ao marido. Assim, não envergonharão a palavra de Deus.

Da mesma forma, incentive os homens mais jovens a viver com sabedoria. Você mesmo deve ser exemplo da prática de boas obras. Tudo que fizer deve refletir a integridade e a seriedade de seu ensino. Sua mensagem deve ser tão correta a ponto de ninguém a criticar. Então os que se opõem a nós ficarão envergonhados e nada terão de ruim para dizer a nosso respeito.

Quanto aos escravos, devem sempre obedecer a seu senhor e fazer todo o possível para agradá-lo. Não devem ser respondões, nem roubar, mas devem mostrar-se bons e inteiramente dignos de confiança. Assim, tornarão atraente em todos os sentidos o ensino a respeito de Deus, nosso Salvador.

Tito 2.1-10

Tito é exortado a falar de acordo com a sã doutrina, e isso não se refere a ideias, conceitos e dogmas. O que convém à sã doutrina é como vivem os homens e as mulheres mais velhos, os empregados e patrões, e os jovens por eles ensinados. A finalidade dessa vida qualificada é tornar atraente o ensino de Deus. A beleza da vida em família fala mais que os catecismos. A integridade nos negócios interpela mais que os tratados teológicos, pois nada é mais convincente que uma pessoa envolta pela verdade em que acredita.

Embora o contexto social em que Paulo escreve sua carta a Tito seja distante da realidade em que vivemos, alguns princípios apresentados permanecem. Os tempos mudam, as culturas são dinâmicas, e até mesmo as leis são alteradas, mas alguns princípios são perenes. E o que aqui permanece é: a vida que o povo de Deus leva pode "acrescentar brilho" à reputação de Deus, como diz Eugene Peterson, ou pode ofuscar, distorcer e tornar repugnante a noção pública a respeito dele. Nosso jeito de viver como cristão pode gerar admiração por Jesus e respeito pelo evangelho, ou gerar antipatia e repulsa. Os cristãos do primeiro século viviam de tal modo a conquistar a simpatia da sociedade: "O povo da cidade apreciava o que via" (At 2.47, *A Mensagem*).

As diferentes traduções de Tito 2.10 são esclarecedoras: "tornem atraente, em tudo, o ensino de Deus, nosso Salvador" (NVI); "a fim de ornarem, em todas as coisas, a doutrina de Deus, nosso Salvador" (RA); "acrescentando brilho ao ensino do nosso Salvador" (*A Mensagem*).

O povo de Deus é a roupa que Deus veste. O povo de Deus é a roupa que serve como ornamento, que torna atraente e acrescenta brilho ao próprio Deus. O apóstolo Paulo está sugerindo que a vida do povo de Deus seja de tal maneira que as pessoas não encontrem oportunidade para falar mal de nós, porque falar mal de nós equivale também a falar mal do nosso Deus e do evangelho.

Na carta apostólica aos efésios, lemos exatamente a mesma provocação. Nossa experiência com Cristo nos impele a tirar a roupa velha, que não refletia o caráter de Deus:

> Quanto à antiga maneira de viver, vocês foram ensinados a despir-se do velho homem, que se corrompe por desejos

enganosos, a serem renovados no modo de pensar e a revestir-se do novo homem, criado para ser semelhante a Deus em justiça e em santidade provenientes da verdade.

Efésios 4.22-24, NVI

Mas vejamos como isso funciona na prática. Nos versículos 25 a 32, Paulo nos responde ao explicar como devemos viver com essa nova roupa:

Portanto, abandonem a mentira e digam a verdade a seu próximo, pois somos todos parte do mesmo corpo. E 'não pequem ao permitir que a ira os controle'. Acalmem a ira antes que o sol se ponha, pois ela cria oportunidades para o diabo.

Quem é ladrão, pare de roubar. Em vez disso, use as mãos para trabalhar com empenho e honestidade e, assim, ajudar generosamente os necessitados. Evitem o linguajar sujo e insultante. Que todas as suas palavras sejam boas e úteis, a fim de dar ânimo àqueles que as ouvirem.

Não entristeçam o Espírito Santo de Deus, o selo que ele colocou sobre vocês para o dia em que nos resgatará como sua propriedade.

Livrem-se de toda amargura, raiva, ira, das palavras ásperas e da calúnia, e de todo tipo de maldade. Em vez disso, sejam bondosos e tenham compaixão uns dos outros, perdoando-se como Deus os perdoou em Cristo.

Em tempos de *fake news*, essa recomendação de Paulo é muito atual. Mentir para o próximo é mentir para si, porque todos são membros do mesmo corpo. É a mão direita mentindo para a mão esquerda. O apóstolo também fala sobre ira. Quando viramos o dia sem resolver aquele ressentimento, damos lugar ao diabo. Os monstros dentro de nós despertam e começam a sussurrar coisas e a gerar ideias que alimentam a hostilidade com as pessoas ao redor. O coração irado vai alimentando esse sentimento ruim, e assim o diabo vai tomando conta de nossas ações. A palavra de Deus nos fala que não podemos ofertar a Deus nosso culto, nossas orações e nosso louvor se estivermos irados com nosso irmão. A ira não só nos afasta das pessoas, mas também de Deus (Mt 5.23-24).

Como a palavra de Deus é simples! Paulo nesse trecho de Efésios nos esclarece por que trabalhamos e ganhamos dinheiro: para "ajudar generosamente os necessitados". Não é para acumular, é para abençoar. Nossa generosidade leva as pessoas a renderem graças a Deus (2Co 9.11).

Há muitas coisas na Bíblia que exigem nossa interpretação, mas há muito mais coisas que exigem a simples obediência. As cartas apostólicas de Paulo são geralmente divididas em duas partes: teologia e ética. O capítulo 4 de Efésios trata de ética: "Quem é ladrão, pare de roubar. Em vez disso, use as mãos para trabalhar com empenho e honestidade e, assim, ajudar generosamente os necessitados". Essas são atitudes de quem veste a roupa nova que reflete o caráter de Jesus Cristo.

Em Colossenses, o apóstolo nos faz as mesmas advertências, seguindo o mesmo padrão de argumentação. Começa com uma afirmação teológica:

Pois vocês morreram para esta vida, e agora sua verdadeira vida está escondida com Cristo em Deus. E quando Cristo, que é sua vida, for revelado ao mundo inteiro, vocês participarão de sua glória.

Colossenses 3.3-4

Em seguida nos leva a considerar a práxis consequente dessa realidade de estar em Cristo:

Agora é o momento de se livrarem da ira, da raiva, da maldade, da maledicência e da linguagem obscena. Não mintam uns aos outros, pois vocês se despiram de sua antiga natureza e de todas as suas práticas perversas. Revistam-se da nova natureza e sejam renovados à medida que aprendem a conhecer seu Criador e se tornam semelhantes a ele. Nessa nova vida, não importa se você é judeu ou gentio, se é circuncidado ou incircuncidado, se é inculto ou incivilizado, se é escravo ou livre. Cristo é tudo que importa, e ele vive em todos.

Colossenses 3.8-11

Na comunidade de Jesus Cristo não existe distinção de raça, gênero ou classe social, pois "Cristo é tudo que importa". Quem está em Cristo deve viver e conviver refletindo a unidade e indivisibilidade de seu corpo:

Visto que Deus os escolheu para ser seu povo santo e amado, revistam-se de compaixão, bondade, humildade, mansidão e paciência. Sejam compreensivos uns com os outros e perdoem quem os ofender. Lembrem-se de que o Senhor os perdoou, de modo que vocês também devem perdoar. Acima de tudo, revistam-se do amor que une todos nós em perfeita harmonia. Permitam que a paz de Cristo governe o seu coração, pois, como membros do mesmo corpo, vocês são chamados a viver em paz. E sejam sempre agradecidos.

Que a mensagem a respeito de Cristo, em toda a sua riqueza, preencha a vida de vocês. Ensinem e aconselhem uns aos outros com toda a sabedoria. Cantem a Deus salmos, hinos e cânticos espirituais com o coração agradecido. E tudo que fizerem ou disserem, façam em nome do Senhor Jesus, dando graças a Deus, o Pai, por meio dele.

Colossenses 3.12-17

Que simples e extraordinária essa palavra de Deus para nós! Somos a roupa que ele veste. A igreja deve ser um povo bonito, viver uma vida cheia de beleza, porque Deus é belo. Devemos conviver de maneira bonita, porque a maneira como convivemos, como falamos uns com os outros, como nos tratamos, nos cuidamos e nos amamos reflete a identidade do nosso Deus.

O povo de Deus é a roupa que Deus veste. Que seja uma roupa linda, como lindo é o caráter de Deus. Que expresse a verdadeira identidade de Deus, que é amor.

11

UNIDADE

Como prisioneiro no Senhor, suplico-lhes que vivam de modo digno do chamado que receberam. Sejam sempre humildes e amáveis, tolerando pacientemente uns aos outros em amor. Façam todo o possível para se manterem unidos no Espírito, ligados pelo vínculo da paz. Pois há um só corpo e um só Espírito, assim como vocês foram chamados para uma só esperança.

Há um só Senhor, uma só fé, um só batismo,
um só Deus e Pai de tudo,
o qual está sobre todos, em todos,
e vive por meio de todos.

Efésios 4.1-6

O que é a vida digna? O que realmente significa viver de modo digno do chamado que recebemos de Deus? Quais as implicações do chamado? Para que ou para quem fomos chamados? A resposta a essas perguntas ilumina o significado da santidade.

Para responder a essas questões, precisamos voltar as páginas da Bíblia Sagrada até o livro de Gênesis, em que encontramos a revelação de que fomos criados à imagem e semelhança de Deus:

Então Deus disse: "Façamos o ser humano à nossa imagem; ele será semelhante a nós. Dominará sobre os peixes do mar, sobre as aves do céu, sobre os animais domésticos, sobre todos os animais selvagens da terra e sobre os animais que rastejam pelo chão".

Assim, Deus criou os seres humanos à sua própria imagem,
à imagem de Deus os criou;
homem e mulher os criou.

Gênesis 1.26-27

Todos os seres humanos somos feitos do mesmo barro e recebemos o mesmo sopro: "Então o SENHOR Deus formou o homem do pó da terra. Soprou o fôlego da vida em suas narinas, e o homem se tornou ser vivo" (Gn 2.7). Essa revelação da palavra de Deus estabelece a igualdade de todos os seres humanos, que carregam consigo uma dignidade que lhes é intrínseca, em razão da imagem de Deus que os reveste. Não existe ser humano de segunda categoria. Sobre todos, independentemente de etnia, gênero, crença, classe social ou qualquer outro fator de distinção, repousa o mesmo fôlego divino.

As primeiras páginas da Bíblia também revelam que o ambiente de existência original da vida humana era o paraíso:

O SENHOR Deus plantou um jardim no Éden, para os lados do leste, e ali colocou o homem que havia criado. O SENHOR Deus fez brotar do solo árvores de todas as espécies, árvores lindas que produziam frutos deliciosos. No meio do jardim, colocou a árvore da vida e a árvore do conhecimento do bem e do mal. [...] O SENHOR Deus colocou o homem no jardim do Éden para cultivá-lo e tomar conta dele.

Gênesis 2.8-15

O paraíso representa a harmonia perfeita entre o Criador, a criação e a criatura. Mas logo nas páginas seguintes a Bíblia nos revela que fomos expulsos do paraíso. Agora estamos em uma terra amaldiçoada, uma terra seca. Estamos no deserto.

O Senhor Deus os expulsou do jardim do Éden [...], colocou querubins a leste do jardim do Éden e uma espada flamejante que se movia de um lado para o outro, a fim de guardar o caminho até a árvore da vida.

Gênesis 3.23-24

A unidade entre Deus, sua criação e a criatura que carrega sua imagem está rompida. Já não existe harmonia perfeita no universo criado. O caos se estabelece na relação entre o Criador e a criação, entre o Criador e o homem, e entre os seres humanos. A evidência do caos é o relato do fratricídio praticado por Caim. As criaturas divinas, antes em unidade, agora estão em litígio, em conflito. A harmonia foi transformada em hostilidade letal. Possuído pela inveja que sentia do irmão e perdido em relação a como agradar a Deus, Caim vive o dilema de escolher entre a vida e a morte:

No tempo da colheita, Caim apresentou parte de sua produção como oferta ao Senhor. Abel, por sua vez, ofertou as melhores porções dos cordeiros dentre as primeiras crias de seu rebanho. O Senhor aceitou Abel e sua oferta, mas não aceitou Caim e sua oferta. Caim se enfureceu e ficou transtornado.

Gênesis 4.3-5

Deus adverte Caim: "O pecado está à porta, à sua espera, e deseja controlá-lo, mas é você quem deve dominá-lo" (Gn 4.7). Mas a advertência não foi suficiente. O pecado prevaleceu e Caim matou Abel. Faz tempo, portanto, que nos matamos em nome de Deus, por causa de Deus e em razão dos nossos conflitos a respeito de Deus. A relação entre Caim e Abel se estende pelas páginas das Escrituras. As personagens bíblicas são arquetípicas e representam os que são aprovados e reprovados por Deus, os que foram abençoados por ele e os que precisam aprender a se relacionar com ele. Esse conflito entre irmãos se prolonga e estabelece o roteiro das histórias de Ismael e Isaque, de Jacó e Esaú, e também de José e seus irmãos. O dilema a respeito de quem pertence a Deus e desfruta seu favor não é, portanto, um cisma da primeira família. É um conflito da raça humana.

O propósito de Deus sempre foi viver em harmonia com sua criação, e especialmente com sua criatura especialíssima: o ser humano. Todos os seres humanos. Para restaurar a harmonia perdida, Deus chama um homem de nome Abraão e lhe faz uma promessa:

> Farei de você uma grande nação, o abençoarei e o tornarei famoso, e você será uma bênção para outros. Abençoarei os que o abençoarem e amaldiçoarei os que o amaldiçoarem. Por meio de você, todas as famílias da terra serão abençoadas.

Gênesis 12.2-3

Os descendentes de Abraão dão origem ao povo hebreu, o povo de Israel, os judeus. O povo hebreu se multiplica e se constitui a partir da compreensão, do discernimento e da convicção de ser "o povo escolhido de Deus". Os gentios, isto é, todos os não judeus, não receberam a promessa da bênção de Deus da mesma maneira que os judeus. Diz o apóstolo Paulo aos gentios:

> Não esqueçam que vocês, gentios, eram chamados de "incircuncidados" pelos judeus que se orgulhavam da circuncisão, embora ela fosse apenas um ritual exterior e humano. Naquele tempo, vocês viviam afastados de Cristo. Não tinham os privilégios do povo de Israel e não conheciam as promessas da aliança. Viviam no mundo sem Deus e sem esperança.
>
> Efésios 2.11-12

Mas jamais foi intenção de Deus aprofundar o fosso de separação entre Caim e Abel, Esaú e Jacó, Isaque e Ismael, judeus e gentios. Deus nunca pretendeu distanciar as pessoas, reforçar a hostilidade entre irmãos. Deus sempre desejou, e ainda deseja, uma só humanidade, uma só fraternidade, uma só comunidade, uma só família. Deus sempre desejou a reconciliação entre Caim e Abel. O propósito de Deus para Abraão sempre foi abençoar "todas as famílias da terra".

Assim o apóstolo Paulo compreende a pessoa, a vida e a obra de Jesus Cristo:

> Agora [vocês] estão em Cristo Jesus. Antigamente, estavam distantes de Deus, mas agora foram trazidos para perto dele por meio do sangue de Cristo.

Porque Cristo é nossa paz. Ele uniu judeus e gentios em um só povo ao derrubar o muro de inimizade que nos separava. Ele acabou com o sistema da lei, com seus mandamentos e ordenanças, promovendo a paz ao criar para si, desses dois grupos, uma nova humanidade. Assim, ele os reconciliou com Deus em um só corpo por meio de sua morte na cruz, eliminando a inimizade que havia entre eles. Ele trouxe essas boas-novas de paz tanto a vocês que estavam distantes dele como aos que estavam perto. Agora, por causa do que Cristo fez, todos temos acesso ao Pai pelo mesmo Espírito.

Portanto, vocês já não são estranhos e forasteiros, mas concidadãos do povo santo e membros da família de Deus. Juntos, somos sua casa, edificados sobre os alicerces dos apóstolos e dos profetas. E a pedra angular é o próprio Cristo Jesus. Nele somos firmemente unidos, constituindo um templo santo para o Senhor. Por meio dele, vocês também estão sendo edificados como parte dessa habitação, onde Deus vive por seu Espírito.

Efésios 2.13-22

Esse é o tema central da carta aos efésios: o propósito eterno de Deus, que se resume à palavra *unidade*. A unidade de toda a criação, de todos os povos, de toda a humanidade. A unidade do Deus Criador com sua criação e com as suas criaturas. Jesus Cristo veio ao mundo para levar o universo de volta para casa:

Agora Deus nos revelou sua vontade secreta a respeito de Cristo, isto é, o cumprimento de seu bom propósito. E o plano é este: no devido tempo, ele reunirá sob a autoridade de Cristo tudo que existe nos céus e na terra.

Efésios 1.9-10

O desejo de Deus sempre foi a unidade de toda a sua criação, e também de todas as suas criaturas:

É o mesmo poder grandioso que ressuscitou Cristo dos mortos e o fez sentar-se no lugar de honra, à direita de Deus, nos domínios celestiais. Agora ele está muito acima de qualquer governante, autoridade, poder, líder ou qualquer outro nome não apenas neste mundo, mas também no futuro. Deus submeteu todas as coisas à autoridade de Cristo e o fez cabeça de tudo, para o bem da igreja.

Efésios 1.19-22

Quando Paulo nos exorta a viver de modo digno da nossa vocação, é disso que está falando: o chamado à reconciliação, à paz, à unidade. Ele nos suplica que façamos todo o esforço para conservar "a unidade do Espírito, pelo vínculo da paz" (Ef 4.3, NVI). O que Deus sempre quis foi a unidade. Ele não queria deixar esse ou aquele povo fora da sua bênção, sua justiça, sua graça e seu amor. Por isso o profeta Joel disse que o Espírito Santo seria derramado "sobre toda a carne":

derramarei meu Espírito sobre todo tipo de pessoa.
Seus filhos e suas filhas profetizarão;
    os velhos terão sonhos, e os jovens terão visões.
Naqueles dias, derramarei meu Espírito
    até mesmo sobre servos e servas.

Joel 2.28-29

A visão do apóstolo João registrada no livro do Apocalipse nos informa que Jesus trouxe a paz e reconciliou todos os povos com Deus. Jesus Cristo, o cordeiro de Deus, recebe a louvação nos céus:

Tu és digno de receber o livro,
abrir os selos e lê-lo.
Pois foste sacrificado e com teu sangue compraste para
Deus
pessoas de toda tribo, língua, povo e nação.
Tu fizeste delas um reino de sacerdotes para nosso Deus,
e elas reinarão sobre a terra.

Apocalipse 5.9-10

Agora então entendemos o que o apóstolo Paulo quer dizer com um só corpo, uma só esperança, um só Senhor, um só batismo. Jesus está formando um povo só e reconciliando todas as coisas e todas as pessoas. Somos batizados em Cristo, e esse batismo vai além do rito nas águas. Fomos batizados nele e recebemos, todos, o seu nome.

O corpo humano tem muitas partes, mas elas formam um só corpo. O mesmo acontece com relação a Cristo. Alguns de nós são judeus, alguns são gentios, alguns são escravos e alguns são livres, mas todos nós fomos batizados em um só corpo pelo único Espírito, e todos recebemos o privilégio de beber do mesmo Espírito.

1Coríntios 12.12-13

Pois todos vocês são filhos de Deus por meio da fé em Cristo Jesus. Todos que foram unidos com Cristo no batismo se revestiram de Cristo. Não há mais judeu nem gentio, escravo nem livre, homem nem mulher, pois todos vocês são um em Cristo Jesus. E agora que pertencem a Cristo, são verdadeiros filhos de Abraão, herdeiros dele segundo a promessa de Deus.

Gálatas 3.26-29

Quando penso em tudo isso, caio de joelhos e oro ao Pai, o Criador de todas as coisas nos céus e na terra.

Efésios 3.14-15

O que é a vida digna, então, senão essa vida que se esforça para manter a unidade que Jesus Cristo celebrou e realizou na cruz? A unidade dos povos não é obra humana. Não somos capazes de realizar tal feito. Nada podemos fazer para reconciliar Criador, criação e criaturas. Isso é obra da cruz de Cristo Jesus. E essa obra já foi realizada. O Espírito de Deus já foi derramado, a unidade já foi criada. Por isso o apóstolo Paulo não nos manda criar unidade, mas fazer todo esforço para preservá-la, para conservá-la. A vida digna é a vida dedicada com todo esforço à celebração da paz e da unidade entre os irmãos fratricidas. Entre aqueles que se matam. A cruz de Cristo vem dizer: "Parem com isso!". No Calvário, descobrimos que somos uma só família, um só barro, um só fôlego de vida. A revelação da unidade de todos os povos e todas as gentes em Cristo Jesus deve nos impelir a viver como irmãos e irmãs, e dessa maneira honrar o que Jesus Cristo realizou com seu sangue e sua cruz.

Precisamos nos esforçar, então, para viver a santidade como unidade. Paulo simplifica e nos dá algumas ideias de como podemos fazer isso: "Sejam sempre humildes e amáveis, tolerando pacientemente uns aos outros em amor" (Ef 4.2). A primeira orientação de Paulo para viver em unidade é que sejamos humildes. E o que é humildade? Humildade é não olhar ninguém de cima para baixo. Humilde é quem se recusa a olhar para o outro com superioridade, porque entendeu que não há ser humano de segunda categoria. Somos todos do mesmo barro, recebemos todos o mesmo fôlego de vida.

John Stott, pastor anglicano, disse que as pessoas com as quais conseguimos viver facilmente são aquelas que nos dão a dignidade que temos, que nos respeitam. Temos dificuldade de conviver com quem nos trata como lixo. Humildade é não tratar ninguém como lixo e não permitir ser tratado como tal.

O apóstolo Paulo também nos diz que devemos ser amáveis, uma referência à mansidão, que é fruto do Espírito (Gl 5.22-23). Osmar Ludovico, que tem sido um orientador espiritual por muitos anos, certa vez disse que "a mansidão é a virtude do leão". Mansidão não é fraqueza. Mansidão é força, potência sob controle. John Stott chamava a mansidão de "suavidade do forte". É ação enérgica, porém controlada, lúcida, coerente, eficaz e justificada. Jesus a ilustra quando vai ao templo em Jerusalém para expulsar os que faziam comércio explorando a fé alheia. Faz um azorrague, um chicote com chumbo nas pontas, e age com firmeza e assertividade, derrubando as bancas de produtos e afugentando os animais que eram vendidos para os sacrifícios. Sua atitude não é a de um homem destemperado, passional e possuído pela raiva. Jesus é um homem amável, manso, capaz de agir energicamente.

Paulo nos orienta a ser pacientes, isto é, longânimos, o que também é fruto do Espírito. A longanimidade é a capacidade de suportar pessoas desagradáveis e manter o coração em paz mesmo sofrendo provocações e hostilidades. Ser paciente é viver em paz mesmo quando uma pessoa nos espezinha, desvaloriza, desmerece, agride, levanta calúnias e mentiras a nosso respeito. Esse sentimento de longo ânimo, de paz apesar do que fazem ou dizem sobre nós, vem da certeza da identidade em Cristo. Quando estamos convictos de que não são as palavras dos outros que nos definem, somos mais capazes de suportar afrontas e agressões. Somos filhos e filhas amados de Deus, essa é nossa identidade. Jesus nos cobriu com seu sangue, e seu Espírito habita em nós. O que dizem a nosso respeito não deve ter poder sobre nós. A injustiça com que somos tratados não deve determinar nosso comportamento, nem mesmo roubar a paz do nosso coração.

Por último, o apóstolo diz que devemos suportar os irmãos em amor. O senso comum interpreta a expressão "suportar" como sinônimo do popular "aguentar". Mas, na verdade, suportar é ajudar o irmão a ficar em pé. É estender a mão e ajudá-lo a se sustentar nas próprias pernas, oferecer apoio. Mais precisamente, é ajudar Caim a deixar de ser Caim. Suportar é ajudar quem está caído e já não tem forças para prosseguir. Suportar os irmãos em amor é lembrá-los de que eles também podem chamar Deus de Pai. Lembrá-los de que não estão alienados da graça de nosso Senhor Jesus Cristo.

A santidade implica uma vida que se esforça intensa e incansavelmente para preservar a unidade de Deus com sua criação e suas criaturas, e de todas as criaturas entre si. Porque há "um só Deus e Pai de tudo, o qual está sobre todos, em todos, e vive por meio de todos".

12

JUSTIÇA

Certo dia, quando Jesus viu que as multidões se ajunta-
vam, subiu a encosta do monte e ali sentou-se. Seus discípulos se reuniram ao redor, e ele começou a ensiná-los.

Mateus 5.1-2

Mahatma Gandhi disse que se toda literatura ocidental se
perdesse e restasse apenas o Sermão do Monte, nada se teria perdido. Exageros à parte, de fato, o Sermão do Monte
sintetiza a religião de Jesus. Assim como Moisés subiu à
montanha, no Sinai, de onde desceu com a Lei que daria
ao povo, Jesus subiu ao monte próximo do mar da Galileia
e ensinou seus discípulos. Jesus é aquele a quem Moisés se
referiu em Deuteronômio 18.15: "O Senhor, seu Deus,
levantará um profeta como eu do meio de seus irmãos israelitas. Deem ouvidos a ele".

Por essa razão Jesus repetidas vezes declara: "Vocês
ouviram o que foi dito, mas eu lhes digo". Alguns estudio-
sos sugerem que Jesus ressignificou a Lei de Moisés, ou
mesmo deu-lhe uma nova interpretação. A verdade, entretanto, é que Jesus traduziu a Lei e resgatou não apenas
seu sentido original, mas também o levou à plenitude e às
últimas consequências: "Não pensem que eu vim abolir a

lei de Moisés ou os escritos dos profetas; vim cumpri-los" (Mt 5.17).

A expressão "eu, porém, lhes digo" corrige o equívoco dos mestres de Israel daqueles dias sobre a interpretação e vivência da Torá, a Lei de Moisés. É por isso que Jesus diz a seus seguidores: "A menos que sua justiça supere muito a justiça dos mestres da lei e dos fariseus, vocês jamais entrarão no reino dos céus" (Mt 5.20). Ao relacionar a prática da justiça com a participação no reino de Deus, Jesus revela, em seu sermão, a distinção entre a justiça dos fariseus e a justiça do reino de Deus. Cumprir a Lei é praticar a justiça. Torá significa caminho. Cumprir a Torá significa andar no caminho de Deus. As palavras de Jesus descrevem como viver diante de Deus, uma vida de prática da justiça, ou, em outras palavras, uma vida de santidade.

O judaísmo dos dias de Jesus dividia-se em escolas de pensamento representadas por cinco grupos principais chamados de seitas: essênios, saduceus, herodianos, zelotes e fariseus. Os escribas ou doutores dedicavam-se ao estudo da Lei e sua transmissão ao povo, e a maioria deles pertencia ao grupo dos fariseus, os mais zelosos e dedicados à Torá. Jesus afirma que a justiça de seus discípulos deve ser superior à justiça dos mais religiosos de sua época. A razão disso é que o farisaísmo da época havia distorcido o sentido da Lei, seja na interpretação seja na prática, daí a severa crítica de Jesus aos escribas e fariseus:

> Os mestres da lei e os fariseus ocuparam o lugar de intérpretes oficiais da lei de Moisés. Portanto, pratiquem tudo que eles dizem e obedeçam-lhes, mas não sigam seu exemplo, pois eles não fazem o que ensinam. [...]

Que aflição os espera, mestres da lei e fariseus! Hipócritas! Fecham a porta do reino dos céus na cara das pessoas. Vocês mesmos não entram e não permitem que os outros entrem.

Que aflição os espera, mestres da lei e fariseus! Hipócritas! Tomam posse dos bens das viúvas de maneira desonesta e, depois, para dar a impressão de piedade, fazem longas orações em público. Por causa disso, serão duramente castigados.

Que aflição os espera, mestres da lei e fariseus! Hipócritas! Atravessam terra e mar para converter alguém e depois o tornam um filho do inferno, duas vezes pior que vocês. [...]

Que aflição os espera, mestres da lei e fariseus! Hipócritas! Têm o cuidado de limpar a parte exterior do copo e do prato, enquanto o interior está imundo, cheio de ganância e falta de domínio próprio. Fariseus cegos! Lavem primeiro o interior do copo e do prato, e o exterior também ficará limpo.

Que aflição os espera, mestres da lei e fariseus! Hipócritas! São como túmulos pintados de branco: bonitos por fora, mas cheios de ossos e de toda espécie de impureza por dentro. Por fora parecem justos, mas por dentro seu coração está cheio de hipocrisia e maldade

Mateus 23.2-3,13-15,25-28

Por essas críticas contundentes e também pelos embates entre Jesus e os fariseus, o farisaísmo ganhou a conotação de hipocrisia e incoerência. Fariseu passou a significar e identificar o religioso cuja prática da justiça se revela inconsistente. A compreensão da Lei de Moisés pelo farisaísmo dos dias de Jesus, entretanto, assemelha-se muito à interpretação e compreensão do evangelho por muitos religiosos cristãos contemporâneos.

Praticar a justiça é viver corretamente diante de Deus. Existe uma grande diferença entre a vida reta diante de Deus e a vida voltada ao mero cumprimento do moralismo e ritualismo religioso nos moldes da tradição farisaica dos dias de Jesus. O Sermão do Monte revela quatro diferenças essenciais entre a justiça do reino de Deus e a prática religiosa farisaica. Jesus apresenta a primeira grande distinção ao esclarecer que religiosidade farisaica se baseia em moral comportamental, enquanto a justiça do reino de Deus afeta as motivações do coração. Ao interpretar a Lei a respeito de homicídio, adultério, divórcio, juramentos e vingança, Jesus nos conduz aos ambientes profundos da nossa subjetividade, revisita o que a Lei de Moisés disse sobre cada um desses assuntos e sublinha a necessidade de compatibilidade entre o coração e o comportamento.

Vocês ouviram o que foi dito a seus antepassados: "Não mate. Se cometer homicídio, estará sujeito a julgamento". Eu, porém, lhes digo que basta irar-se contra alguém para estar sujeito a julgamento. [...]

Vocês ouviram o que foi dito: "Não cometa adultério". Eu, porém, lhes digo que quem olhar para uma mulher com cobiça já cometeu adultério com ela em seu coração.

Também foi dito: "Quem se divorciar da esposa deverá conceder-lhe um certificado de divórcio". Eu, porém, lhes digo que quem se divorcia da esposa, exceto por imoralidade, a faz cometer adultério. E quem se casa com uma mulher divorciada também comete adultério.

Vocês também ouviram o que foi dito a seus antepassados: "Não quebre seus juramentos; cumpra os juramentos que fizer ao Senhor". Eu, porém, lhes digo que não façam juramento algum. [...] Quando disserem "sim", seja de fato sim. Quando disserem "não", seja de fato não. Qualquer coisa além disso vem do maligno. [...] Vocês ouviram o que foi dito: "Olho por olho, dente por dente". Eu, porém, lhes digo que não se oponham ao perverso. Se alguém lhe der um tapa na face direita, ofereça também a outra.

Mateus 5.21-22,27-28,31-33,37-39

A religiosidade farisaica se contenta com comportamentos aprovados pelas pessoas, mas a justiça do reino de Deus está relacionada à profundidade do que habita nossa alma, à motivação que impulsiona nossas ações e à verdade de nosso coração. A justiça do reino de Deus revela um coração que apenas Deus pode conhecer. Jesus não traz necessariamente uma novidade, pois a tradição e a história de Israel conhecem bem esse jeito de Deus de se relacionar com os seus íntimos. Quando o profeta Samuel ungiu Saul como rei, ficou muito impressionado com sua estatura e beleza. Mas Deus o advertiu muito claramente: "Não o julgue pela aparência nem pela altura [...]. O Senhor não vê as coisas como o ser humano as vê" (1Sm 16.7). A profecia de Isaías confrontou Israel no passado e ecoa nas palavras de Jesus, que chama atenção de seus ouvintes para a coerência entre o coração e a prática:

Hipócritas! Isaías tinha razão quando assim profetizou a seu respeito: "Este povo me honra com os lábios, mas o coração está longe de mim. Sua adoração é uma farsa, pois ensinam ideias humanas como se fossem mandamentos divinos".

Mateus 15.7; ver Is 29.13

A justiça do reino de Deus está relacionada com o caráter de Cristo, muito além do comportamento moral prescrito nos mandamentos de qualquer religião. Deus não se impressiona com aquilo que os olhos podem ver. Deus enxerga de maneira diferente. Não vê o aparente, vê o interior, o coração. Os fariseus eram bons de comportamento, mas justamente por suas aparentes virtudes desprezavam os outros, julgando-se melhores e superiores. Quando um fariseu afirmava não ser ladrão, corrupto ou adúltero, não mentia a respeito de seu comportamento. Mas Deus pesa as intenções e as motivações mais profundas do coração. A justiça do reino de Deus brota de um coração quebrantado e de um espírito reto, que somente os olhos de Deus podem contemplar. "O Senhor está perto dos que têm o coração quebrantado" (Sl 34.18) e não rejeita "um coração humilde e arrependido" (Sl 51.17).

A segunda comparação que Jesus faz entre o farisaísmo de sua época e a justiça do reino de Deus trata de perdão, reconciliação e paz:

> Portanto, se você estiver apresentando uma oferta no altar do templo e se lembrar de que alguém tem algo contra você, deixe sua oferta ali no altar. Vá, reconcilie-se com a pessoa e então volte e apresente sua oferta.
>
> Mateus 5.23-24

Jesus adverte que a religiosidade farisaica dá importância ao ritualismo, enquanto a justiça do reino de Deus prioriza os relacionamentos pessoais. Deus está ocupado com relacionamentos. Por trás das palavras de Jesus está a revelação de que a única maneira de servir a Deus é servir pessoas. Não é possível separar a relação com Deus da relação com as pessoas. Caim não pode cultuar a Deus enquanto seu coração está consumido pela inveja que sente de Abel e pelo ódio contra ele nutrido. Jacó não pode esperar o favor de Deus enquanto não sair ao reencontro com Esaú. Tudo o que José pode fazer antes de perdoar os irmãos que o venderam como escravo ao Egito é chorar em alta voz pelos corredores do palácio. Assim referiu-se o apóstolo João aos que pretendem relacionar-se com Deus à parte da comunhão com a família de Deus:

Se alguém afirma: "Amo a Deus", mas odeia seu irmão, é mentiroso, pois se não amamos nosso irmão, a quem vemos, como amaremos a Deus, a quem não vemos? Ele nos deu este mandamento: quem ama a Deus, ame também seus irmãos.

1João 4.20-21

Jesus exorta os discípulos: "Portanto, sejam perfeitos, como perfeito é seu Pai celestial" (Mt 5.48). Longe de referir-se à perfectibilidade moral ou mesmo ao cumprimento de rituais religiosos, Jesus está explicitando a justiça do reino de Deus como o caminho do amor incondicional:

Vocês ouviram o que foi dito: "Ame o seu próximo" e odeie o seu inimigo. Eu, porém, lhes digo: amem os seus inimigos e orem por quem os persegue. Desse modo, vocês agirão como verdadeiros filhos de seu Pai, que está no céu. Pois ele dá a luz do sol tanto a maus como a bons e faz chover tanto sobre justos como injustos. Se amarem apenas aqueles que os amam, que recompensa receberão? Até os cobradores de impostos fazem o mesmo. Se cumprimentarem apenas seus amigos, que estarão fazendo de mais? Até os gentios fazem isso.

Mateus 5.43-47

A perfeição a que Jesus se refere, portanto, não é a moral ou a ritual, mas a relacional. "Deus é amor" (1Jo 4.7), e nada menos do que isto se espera de seus filhos e filhas: amar.

A terceira grande distinção entre a religiosidade farisaica e a justiça do reino de Deus refere-se à coerência entre palavra e ação:

Nem todos que me chamam: "Senhor! Senhor!" entrarão no reino dos céus, mas apenas aqueles que, de fato, fazem a vontade de meu Pai, que está no céu.

Mateus 7.21

Seguir Jesus, mais do que coisas em que acreditar, implica um estilo de vida. Deus detesta fantasias, exerce juízo sobre os hipócritas e exige compromisso com sua vontade. A religiosidade confessional e verborrágica impressiona apenas quem gosta de espetáculos e performances teatrais. Orações eloquentes nas esquinas, profecias e profetadas inconsequentes, manipulações espirituais e feitiçarias estão longe de expressar a justiça do reino de Deus.

Jesus diz que quem ouve a Palavra e não a pratica é como aquele que construiu a casa sobre a areia, enquanto o que ouve a Palavra e a pratica é como aquele que construiu a casa sobre a rocha (Mt 7.24-27). Os intérpretes se dividem a respeito de qual seria exatamente a rocha que sustenta pessoas em tempos de chuva, trovoada e tempestade. O senso comum sugere que a rocha é Jesus. Mas creio que a rocha é a obediência a Jesus. Tiago, apóstolo, aprendeu com Jesus, e mais tarde ensinou aos cristãos, o segredo da vida abençoada por Deus. Aos que viviam dispersos pelas perseguições, atravessando toda sorte de dificuldades e tribulações, exortou:

Portanto, removam toda impureza e maldade e aceitem humildemente a palavra que lhes foi implantada no coração, pois ela tem poder para salvá-los. Não se limitem, porém, a ouvir a palavra; ponham-na em prática. Do contrário, só enganarão a si mesmos. Pois, se ouvirem a palavra e não a praticarem, serão como alguém que olha no espelho, vê a si mesmo, mas, assim que se afasta, esquece como era sua aparência. Se, contudo, observarem atentamente a lei perfeita que os liberta, perseverarem nela e a puserem em prática sem esquecer o que ouviram, serão felizes no que fizerem.

Tiago 1.21-25

Jesus não nos promete uma vida livre de aflições, pois habitamos um mundo hostil. Todos os dias chove forte, e de vez em quando nossa casa é assolada por vendavais e tempestades. Os dias maus batem à porta da casa do justo e do injusto, do bom e do mau, do fiel e do descrente. A diferença é que quem tem a vida sustentada na rocha consegue atravessar o dia mau e amanhecer íntegro, sem blasfêmias ou ressentimentos com Deus. Quem ouve e pratica as palavras de Jesus e pratica a justiça do reino de Deus descansa no cuidado daquele cujos olhos percorrem toda a terra para mostrar-se forte aos que lhe rendem totalmente o coração (2Cr 16.9).

A rocha na qual precisamos estar firmados é, portanto, a obediência. Quem não vive a justiça do reino de Deus, quem não encarna o evangelho e pratica a religião do blá--blá-blá desmorona, derrete, dissolve, mesmo com pouca chuva. A religião da boca para fora não sustenta ninguém. O juízo de Deus não é uma chamada oral em busca de respostas certas para questões teológicas e doutrinárias, mas uma avaliação da práxis de justiça do reino de Jesus.

Quando o Filho do Homem vier em sua glória, acompanhado de todos os anjos, ele se sentará em seu trono glorioso. Todas as nações serão reunidas em sua presença, e ele separará as pessoas como um pastor separa as ovelhas dos bodes. Colocará as ovelhas à sua direita e os bodes à sua esquerda.

Então o Rei dirá aos que estiverem à sua direita: "Venham, vocês que são abençoados por meu Pai. Recebam como herança o reino que ele lhes preparou desde a criação do mundo. Pois tive fome e vocês me deram de comer. Tive sede e me deram de beber. Era estrangeiro e me convidaram para a sua casa. Estava nu e me vestiram. Estava doente e cuidaram de mim. Estava na prisão e me visitaram".

Então os justos responderão: "Senhor, quando foi que o vimos faminto e lhe demos de comer? Ou sedento e lhe demos de beber? Ou como estrangeiro e o convidamos para a nossa casa? Ou nu e o vestimos? Quando foi que o vimos doente ou na prisão e o visitamos?".

E o Rei dirá: "Eu lhes digo a verdade: quando fizeram isso ao menor destes meus irmãos, foi a mim que o fizeram".

Mateus 25.31-40

Finalmente, Jesus diz que a religião farisaica é antropocêntrica, enquanto a justiça do reino de Deus é teocêntrica. A religiosidade do farisaísmo dos dias de Jesus estava ocupada sempre consigo mesma, e atraía para si a louvação dos espectadores que pretendia impressionar. O espírito farisaico vive num teatro cuja plateia não é frequentada por Deus. Está em busca de aplausos humanos, no afã de satisfazer seu vazio egoico. A justiça do reino de Deus, por sua vez, é piedosa e se expressa para o "público de um": o Deus que a tudo e a todos vê. Os filhos e as filhas do reino de Deus são discretos. Os heróis são populares, os santos são anônimos. A religiosidade farisaica se ocupa do que fazemos para nós e por nós mesmos. Ocupa-se pelo próprio bem, no caso, receber aplausos e aprovação humana. Mas Jesus nos esclarece o caminho da santidade piedosa:

Tenham cuidado! Não pratiquem suas boas ações em público, para serem admirados por outros, pois não receberão a recompensa de seu Pai, que está no céu. Quando ajudarem alguém necessitado, não façam como os hipócritas que tocam trombetas nas sinagogas e nas ruas para serem elogiados pelos outros. Eu lhes digo a verdade: eles não receberão outra recompensa além dessa. Mas, quando ajudarem alguém necessitado, não deixem que a mão esquerda saiba o que a direita está fazendo. Deem sua ajuda em segredo, e seu Pai, que observa em segredo, os recompensará.

Quando vocês orarem, não sejam como os hipócritas, que gostam de orar em público nas sinagogas e nas esquinas, onde todos possam vê-los. Eu lhes digo a verdade: eles não receberão outra recompensa além dessa. Mas, quando orarem, cada um vá para seu quarto, feche a porta e ore a seu Pai, em segredo. Então seu Pai, que observa em segredo, os recompensará.

Ao orar, não repitam frases vazias sem parar, como fazem os gentios. Eles acham que, se repetirem as palavras várias vezes, suas orações serão respondidas. [...]

Quando jejuarem, não façam como os hipócritas, que se esforçam para parecer tristes e desarrumados a fim de que as pessoas percebam que estão jejuando. Eu lhes digo a verdade: eles não receberão outra recompensa além dessa. Mas, quando jejuarem, penteiem o cabelo e lavem o rosto. Desse modo, ninguém notará que estão jejuando, exceto seu Pai, que sabe o que vocês fazem em segredo. E seu Pai, que observa em segredo, os recompensará.

Mateus 6.1-7,16-18

13

SANTIDADE

Santifiquem-se, pois amanhã o SENHOR fará maravilhas entre vocês.

Josué 3.5, NVI

Há pelo menos duas maneiras de enxergar a santidade na Bíblia Sagrada. Duas expressões nos falam do que é ser santo. A primeira delas é a santidade como posição, e diz respeito à relação entre Deus e seu povo. O povo é santo porque foi escolhido por Deus e a ele pertence, exclusivamente. O povo que Deus escolheu para si foi separado dos demais povos e é santo pelo simples fato de pertencer a Deus. A nação de Israel é santa, mas não ocupa essa posição por méritos próprios. A santidade de Israel, isto é, o fato de ser separado para pertencer exclusivamente a Deus, resulta de um ato discricionário de Deus, que agiu sem nenhuma outra razão senão sua própria e soberana vontade.

Então Moisés subiu ao monte para apresentar-se diante de Deus. Lá de cima, o SENHOR o chamou e disse: "Transmita esta mensagem à família de Jacó; anuncie-a aos descendentes de Israel: 'Vocês viram o que fiz aos egípcios. Sabem como carreguei vocês sobre asas de águias e os trouxe para mim. Agora, se me obedecerem e cumprirem minha aliança, serão meu tesouro especial dentre todos os povos da terra, pois toda a terra me pertence. Serão meu reino de sacerdotes, minha nação santa'. Essa é a mensagem que você deve transmitir ao povo de Israel".

Êxodo 19.3-6

[Deus] fez tudo isso para que vocês jamais viessem a pensar: "Conquistei toda esta riqueza com minha própria força e capacidade". Lembrem-se do SENHOR, seu Deus. É ele que lhes dá força para serem bem-sucedidos, a fim de confirmar a aliança solene que fez com seus antepassados, como hoje se vê.

Uma coisa, porém, eu lhes garanto: se vocês se esquecerem do SENHOR, seu Deus, e seguirem outros deuses, adorando-os e curvando-se diante deles, certamente serão destruídos. Assim como o SENHOR destruiu outras nações em seu caminho, vocês também serão destruídos caso se recusem a obedecer ao SENHOR, seu Deus.

Deuteronômio 8.17-20

O Novo Testamento atribui à igreja os mesmos títulos que o Antigo Testamento atribuía a Israel. Referindo-se ao corpo místico de Cristo, o apóstolo Pedro diz:

Vocês, porém, são povo escolhido, reino de sacerdotes, nação santa, propriedade exclusiva de Deus. Assim, vocês podem mostrar às pessoas como é admirável aquele que os chamou das trevas para sua maravilhosa luz. Antes vocês não tinham identidade como povo, agora são povo de Deus. Antes não haviam recebido misericórdia, agora receberam misericórdia de Deus.

1Pedro 2.9-10

A nação santa, conforme o Novo Testamento, não é mais a linhagem consanguínea de Abraão, mas a comunidade da fé, chamada pelo apóstolo Paulo de verdadeiro Israel de Deus:

Por acaso essa bênção é apenas para os judeus, ou se estende também aos gentios incircuncidados. Já dissemos que Deus considerou Abraão justo por meio de sua fé. Mas como isso aconteceu? Ele foi considerado justo somente depois de ter sido circuncidado, ou antes disso? Está claro que foi antes de ele ser circuncidado. A circuncisão era um sinal de que Abraão já possuía fé e de que Deus já o havia declarado justo, mesmo antes de ele ser circuncidado. Portanto, Abraão é o pai daqueles que têm fé mas não foram circuncidados. Eles são considerados justos por causa de sua fé. E Abraão também é o pai daqueles que foram circuncidados, mas somente se tiverem o mesmo tipo de fé que Abraão tinha antes de ser circuncidado. A promessa de que Abraão e seus descendentes herdariam toda a terra não se baseou em sua obediência à lei de Deus, mas sim no fato de ele ter sido considerado justo quando teve fé.

Romanos 4.9-13

Acaso Deus deixou de cumprir sua promessa a Israel? Não, pois nem todos os descendentes de Israel pertencem, de fato, ao povo de Deus. Só porque são descendentes de Abraão não significa que são, verdadeiramente, filhos de Abraão. Pois as Escrituras dizem: "Isaque é o filho de quem depende a sua descendência". Isso significa que os descendentes físicos de Abraão não são, necessariamente, filhos de Deus. Apenas os filhos da promessa são considerados filhos de Abraão.

Romanos 9.6-8

Logo, os verdadeiros filhos de Abraão são aqueles que creem. As Escrituras previram esse tempo em que Deus declararia os gentios justos por meio da fé. Ele anunciou essas boas-novas a Abraão há muito tempo, quando disse: "Todas as nações da terra serão abençoadas por seu intermédio". Portanto, todos os que creem participam da mesma bênção que Abraão recebeu por crer.

Gálatas 3.7-9

O povo de Deus não é definido etnicamente, como no Antigo Testamento, mas reúne pessoas de "toda tribo, língua, povo e nação" compradas pelo sangue de Jesus Cristo (Ap 5.9). Todo aquele que crê é descendente de Abraão, a quem Deus havia prometido que abençoaria todas as famílias da terra a partir de sua descendência. Essa promessa se cumpriu no dia do Pentecostes, quando o Espírito Santo foi derramado sobre todos os povos, conforme a profecia de Joel:

derramarei meu Espírito sobre todo tipo de pessoa.
Seus filhos e suas filhas profetizarão;
    os velhos terão sonhos, e os jovens terão visões.
Naqueles dias, derramarei meu Espírito
    até mesmo sobre servos e servas.

Joel 2.28-29; ver At 2.16-18

Jesus Cristo é a verdadeira descendência, ou descendente, de Abraão, em quem todas as famílias da terra são abençoadas. Por sua obra nos tornamos povo e propriedade exclusiva de Deus. Somente por meio de Jesus Cristo passamos a ocupar a posição de santidade.

Cristo nos resgatou da maldição pronunciada pela lei tomando sobre si a maldição por nossas ofensas. Pois as

Escrituras dizem: "Maldito todo aquele que é pendurado num madeiro". Por meio de Cristo Jesus, os gentios foram abençoados com a mesma bênção de Abraão, para que recebêssemos, pela fé, o Espírito prometido.

Gálatas 3.13-14

Nunca é demais lembrar que o povo de Deus não é o novo estado de Israel, não são os israelenses, não é a nação que hoje ocupa aquele território geográfico identificado como "terra santa". O povo de Deus é o povo da fé em Jesus Cristo.

A segunda maneira de compreender a santidade na Bíblia é a "santidade como condição", que define o estilo e a qualidade de vida. A santidade como posição indica o *status* de relacionamento entre Deus e seu povo. A santidade como condição indica a necessária coerência entre a identidade e a experiência existencial do povo que pertence exclusivamente a Deus. Porque somos filhos de Deus devemos viver como tal, e nossa vida deve expressar o caráter do nosso Pai, em quem cremos e a quem pertencemos. A santidade como posição se explica pela ação autodeterminada de Deus, livre de qualquer interferência ou concurso da ação humana. Mas a santidade como condição implica a resposta humana, exige a participação, o engajamento e o envolvimento da vontade humana. A santidade como posição é o que Deus faz por você. É a resposta que você dá a Deus.

Escrevendo aos romanos, Paulo assim descreve nossa "posição em Cristo":

Pois, pelo batismo, morremos e fomos sepultados com Cristo. E, assim como ele foi ressuscitado dos mortos pelo poder glorioso do Pai, agora nós também podemos viver uma nova vida. Uma vez que nossa união com ele se assemelhou à sua morte, assim também nossa ressurreição será semelhante à dele.

Romanos 6.4-5

Em seguida, fala da condição em que devem viver todos os que estão em Cristo:

Da mesma forma, considerem-se mortos para o poder do pecado e vivos para Deus em Cristo Jesus.

Não deixem que o pecado reine sobre seu corpo, que está sujeito à morte, cedendo aos desejos pecaminosos. Não deixem que nenhuma parte de seu corpo se torne instrumento do mal para servir ao pecado, mas em vez disso entreguem-se inteiramente a Deus, pois vocês estavam mortos e agora têm nova vida. Portanto, ofereçam seu corpo como instrumento para fazer o que é certo para a glória de Deus.

Romanos 6.11-13

A mesma lógica é seguida em sua carta aos colossenses:

Uma vez que vocês ressuscitaram para uma nova vida com Cristo, mantenham os olhos fixos nas realidades do alto, onde Cristo está sentado no lugar de honra, à direita de Deus. Pensem nas coisas do alto, e não nas coisas da terra. Pois vocês morreram para esta vida, e agora sua verdadeira vida está escondida com Cristo em Deus. E quando Cristo, que é sua vida, for revelado ao mundo inteiro, vocês participarão de sua glória.

Portanto, façam morrer as coisas pecaminosas e terrenas que estão dentro de vocês. Fiquem longe da imoralidade sexual, da impureza, da paixão sensual, dos desejos maus e da ganância, que é idolatria.

Colossenses 3.1-5

O apóstolo Paulo ilustra bem as duas maneiras de compreender a santidade ao afirmar que a nossa vida já "está escondida com Cristo em Deus", referindo-se à nossa posição em Cristo. Por essa razão nos exorta a pensar nas coisas do alto, a fazer morrer nossa natureza terrena. Em outras palavras, cuidem de sua condição em Cristo. Uma coisa é a santidade como posição — pertencer a Deus e fazer parte do povo da aliança. Outra e a santidade como condição — uma vida coerente com a posição que temos em Cristo.

O autor da carta aos hebreus também fala dessas duas expressões de santidade. Ele nos lembra de que foi por causa do sacrifício único e definitivo de Jesus Cristo que fomos santificados: "Pois a vontade de Deus era que fôssemos santificados pela oferta do corpo de Jesus Cristo, de uma vez por todas" (Hb 10.10). Mas também sublinha que por meio de seu sacrifício Jesus não apenas santificou, no passado, mas santifica a todos, no tempo presente. Enquanto os sacerdotes apresentavam repetidamente os mesmos sacrifícios, sem jamais remover os pecados em definitivo, esse Sacerdote ofereceu um único e definitivo sacrifício pelos pecados, aperfeiçoando para sempre "os que estão sendo santificados" (Hb 10.14). Jesus Cristo nos colocou em posição de santidade e continua agindo em nós para garantir nossa condição de santidade. Posição e condição são, portanto, as expressões que apresentam o conceito básico de santidade conforme descrito na Bíblia Sagrada.

Mas as palavras de Josué ao povo que se preparava para viver as maravilhas de Deus me abriram uma nova perspectiva de reflexão a respeito da experiência da santidade. A convocação para que o povo se santifique enquanto aguarda a manifestação poderosa e maravilhosa de Deus, que ocorreria no dia seguinte, possibilita uma terceira compreensão do que seja santidade. Josué está diante da nação que já é santa, está falando com o povo que já ocupa uma posição de santidade. Então, quando diz "santifiquem-se", certamente não está se referindo à "posição de santidade" e tampouco à "condição de santidade", pois 24 horas não são suficientes para que o povo se aperfeiçoe ou redirecione a vida. Josué está dizendo: "É para amanhã". Ninguém coloca a vida em ordem de um dia para o outro, ninguém amadurece da noite para o dia. Quando Josué diz "santifiquem-se", está se referindo a uma outra experiência de santidade, que vai além de posição e condição.

Nessa cena, Josué se encontra à margem do Jordão pela segunda vez. Quarenta anos antes ele havia estado ali, pouco tempo depois de deixar o Egito sob a liderança de Moisés, no êxodo promovido por Deus para libertar seu povo da escravidão. Às portas da terra prometida, às margens do rio Jordão, Moisés enviou doze espiões para Canaã, entre eles Josué. Na ocasião, apenas Josué e Calebe se mostraram comprometidos e tiveram coragem de convocar o povo de Israel a possuir a terra que Deus lhes havia prometido. O povo, entretanto, se acovardou, alarmado pelo relatório dos outros dez espiões (Nm 13.27-29). Então Deus faz essa primeira geração andar em círculos pelo deserto durante quarenta anos, até que surja uma segunda geração.

Josué e Calebe estão, portanto, pela segunda vez às margens do Jordão e às portas de Canaã. Depois de quarenta anos de peregrinação pelo deserto, Josué se encontra naquele mesmo lugar para mais uma vez decidirem, juntos, o que fazer a respeito da terra prometida. É nessa circunstância que ele reúne o povo de Israel e diz: "Santifiquem-se, porque amanhã Deus fará maravilhas no meio de vocês". Josué convoca os israelitas a colocar o coração diante de Deus e pede-lhes que assumam uma atitude de santidade.

Josué está convicto de que Deus cumprirá sua promessa e realizará seu propósito de dar ao povo a terra que prometeu ao patriarca Abraão. O dia havia chegado. Ninguém deveria agir com displicência ou esquecer as promessas de Deus. Ninguém deveria duvidar do caráter de Deus ou titubear em confiar nas promessas de Deus. Ninguém deveria estar descomprometido com o drama histórico que naquele momento se realizava. Josué conclama o povo a ficar atento a tudo o que Deus desejava fazer naquele dia e naquele lugar. O povo é convocado a se derramar na presença de Deus, a focar os pensamentos em Deus e em suas promessas, a se render em obediência cativa ao caráter, à grandeza, ao propósito e à santidade de Deus.

A ordem "santifiquem-se" proclamada por Josué foi um chamado para que o povo alinhasse seu coração ao coração de Deus naquele exato momento, em caráter de urgência, porque Deus passaria e os displicentes e negligentes ficariam excluídos do mover divino e perderiam a oportunidade de desfrutar suas maravilhas. Deus estava prestes a intervir na história e Josué não queria que ninguém permanecesse à margem, desperdiçasse a oportunidade e o momento, por isso foi enfático: "Santifiquem-se! Coloquem o coração na presença de Deus".

A santidade é um coração diante de Deus. É uma atitude de profunda consciência da presença de Deus. Em toda a Bíblia Sagrada, Deus está à procura de um coração, de um tipo de coração. Quando o profeta Samuel ungiu Davi como rei de Israel, Deus o alertou sobre não se impressionar com as aparências. Os irmãos de Davi eram impressionantemente fortes, mas Deus instruiu Samuel dizendo que, ao contrário do homem, que vê a aparência, ele, o Senhor, vê o coração (1Sm 16.7). Davi, embora descrito na Bíblia como um menino de aspecto gentil, é referendado por Deus como um homem segundo o seu coração (1Sm 13.14).

Um homem segundo o coração de Deus, no entanto, não significa padrão de moralidade, mas que Deus via além dos erros e das inclinações e insistências pecaminosas de Davi, que por sua vez sabia exatamente que atitude adotar em relação a Deus:

> Tu não desejas sacrifícios, do contrário eu os ofereceria;
> também não queres holocaustos.
> O sacrifício que desejas é um espírito quebrantado;
> não rejeitarás um coração humilde e arrependido.
>
> Salmos 51.16-17

Davi tinha plena consciência de seus pecados e transgressões, mas também sabia que Deus não resistia a um tipo de coração.

Jesus nos ensinou que Deus não se impressiona com nossas palavras, pois nos observa no secreto, na intimidade, na privacidade, e recompensa conforme nosso coração. Oração não são as palavras que Deus ouve, mas sim é o coração que Deus vê. Deus não se impressiona com nossas obras de justiça nem com nossa aparente generosidade. Não se impressiona com nossas expressões litúrgicas nem com nosso ritualismo religioso. Deus deseja um coração: "Este povo fala que me pertence; honra-me com os lábios, mas o coração está longe de mim" (Is 29.13). Mais que um padrão de conduta, portanto, a santidade implica um tipo de coração. Embora sejam reconhecidas pela integridade do seu caráter, as pessoas santas não são essencialmente caracterizadas pela perfectibilidade moral. Os santos são especialistas da alma humana, e por isso mesmo conhecem o pecado em sua dimensão mais profunda. Sabem que existe uma fissura na interioridade de todo ser humano, e por isso se sustentam não em suas aparentes virtudes, mas na misericórdia e na graça de Deus.

O filósofo Luiz Felipe Pondé acerta quando diz que um pecador está sempre mais perto de Deus justamente por reconhecer sua distância. A culpa é um aferidor da sensibilidade humana em relação à sua estatura diante da santidade de Deus. Quanto mais próximas de Deus, menores as pessoas santas se percebem. O oposto é verdadeiro. Por essa razão, a santidade é muito mais bem associada ao coração quebrantado em plena dependência da graça divina do que ao bom comportamento. Davi é um homem segundo o coração de Deus não por apresentar uma conduta irrepreensível, mas por guardar o coração no lugar certo, como dizem os rabinos. Assim também o apóstolo Paulo, pois ao mesmo tempo em que grita em agonia "miserável ser humano que sou!", exulta em ação de graças a

Deus por Jesus Cristo, pois "já não há nenhuma condenação para os que estão em Cristo Jesus" (Rm 7.24-25; 8.1). Santidade é uma posição: estar em Cristo. Santidade é uma condição: andar na luz, como Cristo está na luz. Mas, acima de tudo, santidade é um coração quebrantado e contrito que Deus nunca despreza.

SOBRE O AUTOR

Ed René Kivitz é teólogo, escritor e conferencista. Desde 1989 desenvolve seu ministério pastoral na Igreja Batista de Água Branca (IBAB). Casado com Silvia Regina, vive atualmente em São Paulo.

Outras obras do autor:

O livro mais mal-humorado da Bíblia
Outra espiritualidade
Sobre/viver
Talmidim
Talmidim 52
Vivendo com propósitos

Compartilhe suas impressões de leitura,
mencionando o título da obra, pelo e-mail
opiniao-do-leitor@mundocristao.com.br
ou por nossas redes sociais

Esta obra foi composta com tipografia Janson Text
e impressa em papel Pólen Bold 70 g/m² na Geográfica